KB062281

평화로운 살인 방법

평화로운 살인 방법

이부
장편소설

| 차례 |

작가의 말

재난 너머엔 개인이 있다. 사건 너머엔 사연이 있다. 욕망 너머엔 감정이 있다. 단지 이 사실이 잊히지 않았으면 하는 마음으로 글을 써 내려갔다.

거대한 재난 상황이 만든 그림자 아래에서 개인은 한없이 작은 단위가 된다. 각자의 사정은 넘쳐나는 혼란과 공포에 매몰되며, 고통은 줄 세워져 무디고 뻔한 것으로 비친다. 결국, 혼자서 오롯이 슬픔을 감내하고, 그 깊은 자상에 몸부림칠 수밖에 없다.

재난이 찾아온 2020년부터 구상하여 집필하게 된 만큼 현 상황과 많이 겹쳐 보며 작업했다. 다른 이가 동시에 똑같은 감정을 느낀다는 건 불가능할지도 모른다. 전염병이 퍼진 세상일지언정 모두가 침잠해 있진 않는다. 하지만 감정이란 건 전이되고, 감염되기 마련이다. 서로가 서로를 이해하고 손잡아 주며, 각자의 내면을 들여다볼 수 있는 이야기를 쓰고 싶었다.

자극적인 세계관, 그리고 행복이 아닌 불행을 주로 다루면서 고민이 많았다. 꿈과 희망이 가득 찬 밝은 내용을 쓸 수 있었으면 좋았을 텐데 하고 아쉬웠던 적도 있지만, 남들에게 섣불리 털어놓기 힘든 감정과 사연을 쓰는 사람도 있으면 좋지 않을까 생각한 끝의 결실이다.

부디 소설 속 인물들을 살살 보듬어 주며 읽어 주셨으면 좋겠다. 생기를 갖기 힘든 요즘, 선생님의 삶은 평화롭고 안전하길 바라며.

2021년 겨울

이부

01
이수연

선생님, 이것부터 말하지 않을 수 없겠네요.

'사람은 이성을 잃으면 자연으로 돌아가고 싶어 한다.'

기억에 따르면 나는 머리를 볶다가 이 문장을 접했습니다. 미용실엔 무료한 사람들이 가득했음에도 아무도 집어 들지 않는 잡지가 있었는데, 그날은 왜인지 무릎을 가리는 거대한 잡지를 펼쳤습니다. 강력하게 주장하건대, 철학학회에선 그 이름 모를 잡지의 에디터를 얼른 스카우트해야 한다고 믿어 의심치 않습니다. 돌아가신 어머니도 천국에서 탄식하며 내 말에 동의할 것이 틀림없습니다. 어머니가 당신 한 몸 바쳐 증명한 문장이기 때문에.

내 어머니는 굳이 1킬로나 떨어진 마트를 향해 뚜벅뚜벅

걸어간 후 스스로의 머리에 총을 쐈습니다. 마트까지 적어도 15분 정도는 걸렸을 텐데, 우거진 산속 오두막에 걸려 있던 엽총을 꾸역꾸역 들고 가는 동안 그녀는 무슨 생각을 떠올렸을까요?

어머니가 죽던 날, 나는 바겐세일로 북적이는 마트 한가운데에 있었습니다. 어머니 역시 내가 장을 보러 그곳에 간 것을 알았습니다. 빼곡히 쌓인 사과 더미 속에서 신선하고 예쁜 것을 고르기 위해 골똘히 고민하던 중이었을 겁니다. 주변의 웅성거림이 비명으로 변모하여 날카롭게 귀를 파고들었을 때에야 사람들의 시선이 한곳을 향하고 있음을 깨달았습니다. 바로 어머니가 든 엽총이었습니다. 작은 체구로 들기엔 너무나 크고 길었으며, 삐끗했다간 타인을 향할 것처럼 총구 끝이 비틀거렸습니다. 신기하게도 사냥할 때는 흔들림이 없던 총이, 어깨에 이고 진 채 걸을 때만큼은 항상 크게 휘청거렸죠. 하지만 금세 붕 뜬 발을 지상에 단단히 디딘 어머닌 언제 그랬냐는 듯 자신의 머리를 향해 총구를 고정했습니다. 그날 쏠 대상을 놓치지 않겠다는 양.

총알이 머리를 관통하기 전, 난 그녀와 눈이 마주쳤습니다. 그럼에도 어머니는 사람들 사이에서 방아쇠를 당겼습니다. 여기까지만 들어도 어머니가 이성을 잃었다는 것에 반박할 사람은 없을 겁니다. 그렇지 않고서야 짐승을 쏴 죽이던 그 총으로 딸이 보는 앞에서 자기 머릴 뚫을 리가 없지요. 밀렵꾼이었던 어머닌 동물들에게 무자비한 포식자였고, 인간들 사이에서는 살아남는 데 일가견이 있는 초식 동물이었으니 내 머리론 그 외에 달리 이유가 떠오르지 않습니다.

총이 발사되는 굉음은 사람들의 이성마저 마비시켰습니다. 북적이던 문명의 한가운데서 울려 퍼진 총성을 신호 삼아 누가 먼저랄 것 없이 비명을 내지르며 뿔뿔이 흩어졌습니다. 총을 쏜 장본인은 머리를 꿰뚫리자마자 철퍼덕 바닥에 널브러졌음에도 불구하고 말이죠. 순식간에 생명의 일렁거림을 잃은 어머니로부터, 유일하게 나만이 발바닥 한 번 떼어 보지 못하고 자리를 지켰습니다. 공식 재난 대피소였던 마트는 텅텅 비워진 채 점차 사위가 조용해졌습니다. 새하얀 석면 마트 바닥에 쓰러진 모습은, 쏴아 죽인 호랑이는커녕 말라비틀어진 고목을 떠올리게 했습니다.

얼마 지나지 않아 방호복을 두른 경찰들이 나타났고, 그녀의 시체를 지키듯 주위를 테이프로 감았습니다. 한 경찰이 내게 다가와 사건의 경위를 묻기에, 나는 잘 벌어지지 않는 입을 겨우 열어 묻는 말에 대답했습니다. 경찰은 듣고 있던 조사지에 '그렇다', '그렇다'를 연신 체크하곤 어머니가 '광인병자'로 판단된다고 전했습니다. 그러곤 나라가 정한 절차대로 장례에 앞서 화장을 즉각 진행한다는 동의서를 내밀었습니다. 그들은 그런 방식으로 밀렵꾼인 어머닐 지켰습니다.

나는 하루도 채 안 돼서 어머니가 담긴 작은 자기를 받았습니다. 사건 현장에서 1킬로나 떨어진 산속으로 재난 센터 사람이 너무나도 자그마한 그 관을 손수 가져다줬습니다. 그는 퍽 피곤한 얼굴로 오두막을 떠났습니다. 사람에게 마지막 복지는 장례라고 하던가요. 나는 이 장례 절차가 참 친절하다, 그리 여겼습니다.

혼자가 된 나는 자기 병 속에 담겨 돌아온 어머니를 멍하니 한참이고 바라봤습니다. 요란한 소동을 벌인 것치곤 참으로 깔끔하게 돌아온 어머니. 이상하게도 그녀가 작은 유골함을 답답해하지 않을까, 그 안에서 꺼내 주어야 하지 않을까 하는 생각을 떨칠 수가 없었습니다. 하여 오두막 뒤편에 있는 텃밭에 어머니의 단단한 뼈대였을 고운 가루들을 고이 뿌려 비로소 자연으로 보냈지요. 유일하게 남은 신선한 식량인 마트 산 1등급 우유를 그 위에 부었습니다. 인간의 이성을 되찾기에 술보단 찬 우유가 제격일 테니까요.

먼저 가세요, 어머니. 전 더 살아야겠어요.

어머니의 자발적 사망으로부터 6개월 전, 어머니와 나는 산속 오두막이 아닌 시내 아파트에서 살았습니다. 모든 집이 그렇듯 우리 집에도 티브이가 있었고 어머닌 항상 뉴스를 틀어 놨습니다. 나는 뉴스에 통 관심이 없었으며 채널을 선택한 어머니조차 뉴스를 집중해서 보는 것 같진 않았습니다. 그러나 '그것'이 영향력을 발휘한 뒤부터 우린 항상 티브이 앞에 앉아 있었죠. 본능적으로 낌새라는 걸 느낀 걸까요?

내가 살아온 27년이라는 세월 동안, 그리고 정규 교육 과정을 통해 배워 온 역사를 통틀어서, 그때가 사람이란 종에게 가장 기묘하고 난처한 상황일 거라고 자부할 수 있었습니다. 보통 뉴스에선 일기 예보와 스포츠를 제외하곤 인간이 난처했던, 난처한, 난처해질 사건을 다루지요.

거짓말을 들킨 것.

궁금함을 참지 못한 것.

화를 참지 못하고 폭력을 행사한 것.

시도 때도 없이 발정한 것.

갖고 싶은 것을 포기하지 못한 것.

뉴스란 매체는 한 시간 남짓한 한 편에 이 모든 종류의 난처함을 담았습니다. 그것이 발발한 지 얼마 되지 않았을 때만 해도 사람들은 유별나게 수위 높은 최신 뉴스에 "말세다, 말세."라며 쯧쯧 혀를 찰 뿐 특별하다고 여기지 않았습니다. 하지만 그도 잠시, 야외에서 SM 플레이가 당당하게 벌어지고, 사람이 인육을 먹는 사건이 터지고, 길거리에서 애인의 뺨을 사정없이 후려친다거나 발로 짓밟는 사건이 매일같이 일어나고, 상사의 가슴과 엉덩이, 성기를 움켜쥐어 해고된 백수들이 늘어나 '성추행 백수', '성백수'란 신조어가 생기고, 명품 매장 직원들이 물건을 너무 많이 빼돌려 매장을 무인 시스템으로 전면 전환한다는 뉴스가 단 한 시간 안에 담기게 되었을 때, 너 나 할 것 없이 말했습니다.

세상이 드디어 미쳤다.

배려 없이 본능대로 행동하고 취하며, 폭력을 휘두르거나 쾌락을 추구하는 사람들이 너무나 많아졌습니다. 뉴스에선 먹고살기 힘든 시국으로 충동 장애 환자가 늘었다고 설명했지요. 내 눈엔 그저 사람들이 더 이상 욕망을 자제하지 못하는 짐승이 된 것만 같았지만요. 그도 그럴 것이, 최근 이상 행동을 보이며 범죄를 일으킨 사람 모두 "도저히 욕망을 참을 수 없었어요."라고 진술했으니 말입니다.

"티브이 끄고 밥 먹어라."

"……예, 어머니."

밥을 먹을 때만큼은 우리는 티브이를 끕니다. 나는 상에 수저를 놓고 어머니는 끓인 된장찌개를 각자의 그릇에 옮겨 담습니다. 함께 밥을 먹지만 살가운 대화는 오가지 않는, 건조하고도 안정적인 우리의 '가족생활'. 어머니의 역할과 딸의 역할을 충실히 행하며 큰 문제없는, 아마도 일반적인 가정의 모습이었습니다. 낯설기만 했던 이 공간도 된장찌개의 냄새가 입혀지니 이젠 꽤나 '집' 같다고 여겨졌습니다. 정과 사랑은 없어도 안정과 안전만은 확실히 존재했는데. 혼란하게 돌아가는 세상은 도어 록과 자물쇠로 이중 잠금 되어 있는 집 안에서조차 마음을 계속해서 불안하게 만들었습니다.

"뉴스 보고 뭔가 걱정이라도 되는 거니."

깨작이고 있는 내게 어머니가 웬일로 말을 걸어왔습니다.

"아무래도 이상해서요."

"이러나저러나 돈이 있으면 어떻게든 살게 되지 않겠니. 뉴스란 원래 큼직큼직한 사건만 보여 주니 너무 걱정 말아라."

그렇게 말하는 어머니도 밥을 먹을 때와 씻을 때, 잘 때를 빼고는 항상 뉴스를 듣고 있었습니다. 나를 바라보지 않고 말하는 저 안부이자 위로는 당신을 향한 말이리라 생각했습니다.

"어머니. 요즘 갖고 싶은 거나 하고 싶은 거 있으세요?"

어머니가 젓가락질을 멈춘 채 눈을 가늘게 뜨고 날 바라봤습니다. 그래요, 평소의 내가 어머니께 할 질문은 아니었죠.

"혹시, 혹시나 해서요."

어머니는 대답 없이 다시 젓가락을 움직일 뿐이었습니다.

2개월 반. 불안해하면서도 게으른 관성을 유지한 채 이례적인 행동을 하기에는 충분하지 못한 시간이었습니다.

한동안 언론은 범죄가 급격히 증가했다며 단순하게 보도했지만, 갑작스러우며 기묘한 동시다발적인 현상을 감히 우연이라 표현하진 못했습니다. 충동으로 인한 사건·사고의 증가는 비단 우리나라뿐만 아니라 세계적으로 일어난 현상이었으니까요. 심상치 않은 유사성을 인지하고 희귀한 정신 질환의 발생이라며 국제적으로 논의하기 시작한 건 얼마 되지 않은 일이었습니다. 충동적인 범죄를 저지른 사람을 모아 보면 적지 않은 수가 대번 우르르 나타났음에도 나이, 성별, 국가, 지역 어떤 점에서도 교집합을 찾아볼 수 없었거든요.

의외로 사람들이 동요하기 시작한 지점은 뉴스에서 범죄율을 운운할 때보다 공인들이 평소라면 하지 않을 고백과 같은 행위를 벌일 때였습니다. 어느 나라 대통령은 기자 회견을 하던 도중 대뜸 자신이 레즈비언이라고 밝혔으며, 어느 청순한 아이돌은 '나는 사실 남자'라고 SNS에 글을 남겨 파문을 일으켰습니다. 커다란 장검을 들고 말 동상 위에 올라가 칼부림을 하던 정치인은 가지각색의 일들 속에 그저 일부일 뿐이었죠. 허무맹랑하여 납득이 가지 않는 사건·사고들이 쏟아지자 아무리 상상력 없는 사람이라도 '이건 이상하지 않아?'란 생각을 하게 되기 마련이었습니다. 인터넷 상에선 멀쩡했다가 미치는 사람이 늘어 간다며 이미 '광인병'이란 이름을 쓰기 시작했죠.

세계는 모든 사회 이슈와 논란, 정책들을 뒤로 미룬 채 진지하게 오컬트까지 들먹여 가며 기묘한 현상에 대해 논의하고 대항할 방도를 찾아야 한다는 목소릴 냈습니다. 그건 작은 개인들도 마찬가지였지요. 어머니는 이제 믿을 수 있는 사람도, 안심할 수 있는 사람도 없다면서 식량을 사재기하는 건 물론, 소화기를 방마다 구비하고 현관문에 삼중 보안장치를 달았습니다. 밤에 각자의 방에서 잠을 잘 때도 방문을 잠갔고 아무리 더워도 창문을 열어 두는 일이 없었습니다. 난 당시 어머니가 유별나다고 생각했지만 그녀는 최선을 다해 강도, 방화, 주거 침입 등 집 안에서 일어날 수 있는 모든 최악의 상황에 대비하고 있었습니다. 그리고 일을 나가지 않는 어머니와, 역시나 집 밖에 나가 만날 사람이 없는 나는 '이불 밖은 위험해.'를 충실히 행하며 안전을 위한다는 명목으로 집을 지키는 시간이 늘었죠. 온종일 어머니는 어머니의 방에, 나는 내 방에 머무르며 밥조차 따로 나와 먹게 되었습니다.

거실에서 아스라이 들리는 뉴스 소리로 인해 깊은 잠에서 빠져나왔습니다. 요지경 세상이 된 후부터 선잠밖에 들지 못했으므로 오래간만에 꿀 같은 수면이었습니다. 침대에 엎드려 얼굴을 비비다 눈만 돌려 시계를 보니 어느덧 오후 1시. 어머니가 거실에 나와 계실 시간은 아니었습니다.

지금 와서 생각해 보면 문까지 서로 잠그고 자는 마당에 참 안일하게도 방문을 열었습니다. 하지만 드높이 해가 떠오른 한낮에서야 일어나게 된 그날의 잠은 너무나 달콤했고, 눈앞에 떨어지는 볕이 참 따뜻했기에, 나는 잠겨 있던 문을 망설임 없이 열었습니다.

선생님. 사람은 이토록 안일해지기 쉬운 존재입니다. 볕이 눈부시다는 이유만으로 경계를 허물고, 배가 부르면 더더욱 곁을 쉽게 내어 주곤 합니다. 나는 만연해진 범죄와 폭력성의 창끝에 서게 되는 것이 내가 될까 봐 벌벌 떨면서도 아무것도 하지 않으며 무지하게 있었습니다. 누구에게나 공개되는 뉴스 그 이상의 정보를 습득해 보았자, 그보다 앞서 행동해 보았자 살기 피곤해진다는 걸 본능적으로 알았던 겁니다. 그건 배 속이 항상 빌 틈 없이 따뜻한 음식물로 채워져 있는 사람에겐 매우 귀찮고 두려운 것이니까요. 외면하고 기만하는 건 무엇보다 쉬운 일이니 말입니다. 그럼에도 나는 살아남았습니다.

뉴스를 보고 있던 어머니는 점심에서야 비적비적 일어나 커피를 내리던 내게 말했습니다.

"수연아, 여길 떠서 안전한 곳으로 가자."

어머니는 앞뒤 설명 없이 대뜸 떠나자고 했습니다. 내가 커피 머신 버튼 하나로 내리던 따끈한 커피를 제외하곤 모두 준비가 되었다는 듯이, 잼과 햄과 신선한 채소들이 끼워진 샌드위치 하나를 내밀며 말이죠.

"그래요."

어머니는 내게 도피를 결정하게 된 이유를 설명하지 않았고, 나도 동의한 이유를 말하지 않았습니다. 서로 이미 인지했기 때문일 수도 있고 인지할 필요가 없기 때문일 수도 있었지만, 지금의 생활이 더는 안전하지 않다는 것만큼은 모두가 알았습니다.

딱 일주일 동안 전기는 세 번 끊겼고 불이 두 번 났으며 초인종은 삼십 번 눌렸습니다. 이 아파트 한 채에서만 타살 두 번, 자살 다섯 번, 원인 불명의 사망 네 번이 있었죠. 정부는 충동적인 행위를 하는 사람이 많지는 않지만 특성상 파급력이 크게 느껴질 뿐이라고 발표했습니다. 또한 이 모든 상황이 욕망과 본능을 분출하는 원인 모를 신종 정신 질환으로 인한 것으로 판단했죠. 특히나 우리가 살고 있던 아파트에 유별나게 많은 사건·사고가 있던 모양인지, 정부에서 파견된 공무원이 웃기지도 않는 '욕구 조사 설문지'라는 걸 돌리기도 했었습니다. 하지만 나라에서 주시하는 지역이니 안전하리라 생각하기엔 아파트 사이렌 소리가 너무 자주 울렸습니다. 이미 출입문 근처엔 어머니와 내 커다란 배낭이 하나씩 놓여 있었습니다. 자다가도 울리는 아파트 사이렌 소리에 대피하는 짓을 3번 정도 반복한 끝에 자연스레 챙겨 놓은 것이었죠.

위험에 대한 무감각은 생존에 있어 사치라고 하지요. 익숙해지는 것을 경계하고 계속해서 적응해 나가야만 합니다. 하지만 난 빠르게 낯설어지는 세상에서 예민해질 대로 예민해진 신경에 벅차하고 있었습니다. 우린 속전속결로 도피를 결정하고 이것저것 잡다한 걸 새로 샀습니다. 처음에 '생존 필수품'이란 기준을 갖다 댔을 땐 물건을 챙기는 데 어려움이 크게 없었으나, 우리의 이주가 얼마나 길어질지 감을 잡을 수 없어 하나둘 더 사들이게 됐습니다. 완전히, 평생, 이라는 단어를 외면하고 싶으면서도 머릿속 한구석에 계속 떠올라 어머니 몰래 얼마나 많이 무얼 쑤셔 넣었는지 모릅니다. 당시 겨울을 뒤로한 지 꽤 되었던 따뜻한 봄이었습니다만, 나는 핫 팩 따위마저 놓치지 않고 가방의 빈 공간에 끼워 넣었습니다. 한 치의 불안함도 간과할 수 없다는 듯이.

사람들이 이상해지기 시작한 지 3개월쯤 되던 날, 우리는 그렇게 아파트로부터 멀리멀리 떠났습니다. 우리는 자기 체구만 한 짐을 각자 이고 지고, 버스를 갈아타고 갈아타

꼬박 반나절 넘게 이동했습니다. 버스에서 바라본 바깥 풍경은 점차 사람의 흔적이 사라져 갔습니다.

어머니는 나를 숲으로 데려갔어요. 그곳은 처음 가 보는 곳이었지만 분명 안전해 보였습니다. 어차피 마지막으로 보고 온 뉴스 속 세상을 떠올리면 누구도 숲속 우릴 신경 쓸 겨를이 없을 듯했지만요.

속세를 떠나온 어머니와 나 단둘의 생활은 한동안 순조로웠습니다. 그런데 선생님, 문명 속에서 살아온 인간은 재난 상황임에도 불구하고 생존 이상의 것들을 원하더랍니다. 특히 휴지와 생리대는 인간다운 삶에 필수적이면서 가장 빨리 소진됩니다. 결국, 어머니와 나는 다시금 속세로 한 번, 두 번 나가곤 했지요. 우리는 도저히 나뭇잎으로 점막 부위들을 닦아 낼 수 없었거든요.

뒤늦게 깨달은 거지만 당시의 삶은 꽤 이상적이었습니다. 자연 속에서 적당히 자급자족하면서 문명은 누릴 만큼 누리고 적당히 취미를 즐기는 생활. 어머니는 사냥을 다녔습니다. 처음 해 보는 솜씨가 아닌지 그녀는 사냥을 나갈 때면 늘 토끼 한 마리라도 잡아 왔습니다. 식량이 남아 있어도 계속 채워 놔야 안심이 되는 모양이었어요. 마트에 갈 수 없게 될지도 모른다면서요. 나는 텃밭을 가꿨습니다. 빠르게 생장하는 채소뿐이었고 농사라고 하기엔 아담한 규모였지만 앞으로의 자급자족을 위해 스스로 맡은 일이었습니다. 휴지와 생리대의 소진도 고려하지 못한 주제에 꽤나 미래적인 준비였지요. 바보 같다고 생각하시나요? 나도 그렇게 생각합니다. 3개월 만에 오두막을 떠날 줄 알았다면 꽃이나 심을걸 그랬습니다. 그랬다면 불안한 오두막 생활에 한 줄기 기쁨이라도 되었을 텐데.

어머니, 우린 어리석었어요. 살아남으려고 스스로 고립되다니.

사람이 가장 살기 좋은 봄에 떠나와서 견디기 힘든 여름이 성큼 다가왔을 무렵, 챙겨 온 자가 발전 라디오를 통해 들리는 세상은 뜻밖에도 매우 희망적이었습니다. 이주한지 얼마나 지났다고 정체 모를 '병'에 대항할 방도를 알아냈다는 이야기가 들렸죠. 물감으로 점을 흩뿌린 것처럼 도저히 교집합을 찾을 수 없어 혼란이 있었으나, 욕망과 본능을 분출시키는 정신 질환, '광인병'의 증상을 보인 범죄자들을 '환자'로 분류하는 것과 더불어 신고를 속속들이 받아 격리치료를 통해 안정을 찾아간다고요. 지레 겁먹어 살아남겠답시고 부지런히 도망쳐 온 우리가 바보가 된 기분이었습니다. 이곳에 온 뒤로 사람은 더 이상 의식주만으로는 생활하지 못한다는 걸 알았습니다. 과잉 공급에 익숙해졌던 우리는 사소한 것에서부터 결핍을 느꼈거든요. 과거에 나와 어머니의 관계가 건조할 수 있었던 것도 꽤 오만한 생활 덕이었지요.

그렇다고 한들, 적어도 나는 자발적으로 다시금 아파트로 돌아갈 생각이 없었습니다. 모험은 어린아이들이나 하는 것 아니겠습니까? 나는 또다시 낯설어져 있을 세상 밖이 무서웠습니다. 이곳은 어머니와 나만의 안락하고 평화로운 외딴섬. 뜨거운 해가 내리쬐는 날에도 우거진 나무들이 그늘을 만들어 산들바람이 시원하게 붑니다. 반짝반짝 햇볕 조각들이 넘실거리는 오솔길을 거닐어 본 적이 있으신가요? 장맛비가 무섭게 우르르 쏟아지고 번개가 번쩍번쩍 섬광을 일으켜 눈앞을 까맣게 만들어도, 아늑한 오두막 안에서 어머니와 나란히 이불을 덮은 채 멍하니 벽난로 불씨를 바라보노라면 행복이란 감정이 이런 것일까 생각한 적도 있습니다. 여전히 우리 둘 사이에 대화란 없었지만요. 어머니가 설컹설컹 토끼의 가죽을 벗겨 내고 나는 그것을 받아들어 이미 데워 둔 기름 솥에 파르르 튀기듯 구워 한 입씩 나누어 먹을 적엔 우리 사이에 무언가가 통한다고 느낀 적도 있습니다. 소위 '핏줄'이라는 그것이 언어 대신 우리 사이에 연결되어 있는 건 아닐까— 하는. 2년 조금 넘게 함께 살며 마주한 그녀는 냉정한 사람도, 실성한 사람으로도 보이지 않았습니다. 되레 냉철한 판단력과 추진력을 가진 현명하고 영리한 여자였습니다. 내게 정이란 걸 주진 않았습니다만 그럼에도 그녀는 내게 있어 가장 믿음직한 사람이었습니다.

하지만 모든 것이 착각이었죠. 앞서 순조로웠다고 말했지만, 그냥…… 당시 우리의 모습을 떠올린다면 순조로웠다고밖에 표현할 수 없을 것 같아서 그랬습니다. 어머니가 이유 모를 병에 걸려 3개월 만에 이성을 잃은 걸 보면 그 말은 틀린 듯합니다. 그녀는 같이 살아남자며 나를 데려와 놓곤 식량을 구한다는 핑계로 제 취미나 즐기다 뒈진 것입니다. 처음부터 변명으로 시작해서 모순으로 가득 찬 사람. 나는 수영을 그렇게 생각했습니다.

"살아남고 싶다면 따라오렴."

이수영, 어머니가 대뜸 내가 살던 고시원 방문 앞에 찾아와서는 한 말이었습니다. 어린 시절, 보육원에서 자라며 부모라는 사람을 궁금해한 적은 많았지만 '어머니'가 나타나서 한다는 말은 꼭 다른 누군가가 버린 똥강아지를 향한 것 같았습니다. 차라리 '아임 유어 마더'라고 했다면 웃기기라도 했을 텐데.

더군다나 이수영이라니요? 내 이름이 이수연입니다. 성은 적당히 보육원 원장의 성을 따 붙여서 이 씨이며, 이름도 원장이 적당히 지은 걸로 알고 있습니다. 원장도 대충 흔한 이름을 접붙인 것이 친어머니의 이름을 닮았을 줄은 꿈에도 몰랐겠지만, 이건 마치 자매와 같은 돌림자 이름이 아닌지. 아기를 버려도 '이름은 바둑이입니다.' 정도는 쪽지로 남겨 놓고 버렸어야 하는 거 아닐까요. 물론 성의 없이 지은 이름인 건 이거나 저거나 마찬가지였겠지만요.

그녀는 나를 패밀리 레스토랑으로 데려가 시키고 싶은 걸 시키라며 메뉴판을 내밀었지만 처음 마주한 어머니란 사람 앞에서 햄버그스테이크를 우걱우걱 먹고 싶은 마음은 없었기에 적당히 마실 것을 시켰습니다. 우리는 단지 처음 본 성인과 성인일 뿐이었습니다. 하다못해 서로 잘 보일 마음도 없는, 소개팅보다도 못한 자리.

둘 다 메뉴판을 훑을 생각도 없이 어디에나 있을 커피를 시켜 놓고 애꿎은 테이블만 내려다보았습니다. 무슨 감정에서 기인해서든 우리는 서로가 궁금했을 테지만 누구도 먼저 상대를 관찰하지 못했습니다. 적어도 나는 어머니라고 나타난 낯선 그녀를 어떻게 대해야 할지 갈피를 잡지 못하고 있었습니다.

"수연아."

수영이 수연을 불렀습니다. 처음으로 어머니께 이름을 불렸습니다.

"네게 의무도 이유도 없다만, 이왕 날 따라온 거 처음이자 마지막으로 내 이야길 귀담아들어 주렴."

내 집엔 어떻게 찾아왔는지부터 묻고 싶었지만 혼자 심각하게 이야길 시작하는 바람에 타이밍을 놓쳐 버렸습니다. 뜨끈한 커피가 수영과 내 앞에 하나씩 놓이고 서버가 자릴 떠날 때까지 다시금 정적이 흘렀습니다. 수영은 눈가를 찡그리며 재차 이야길 이어 나갔습니다.

"내 부모는 어마어마한 규모의 돈을 굴리는 사업을 하면서 더럽고 치사한 짓도 마다하지 않고 부를 쌓았다. 나는 그런 부모가 싫었기에 지원을 일절 받지 않고 사랑하는 남자와 결혼해 평화롭진 못해도 행복하게 살았어. 그런데 내가 너를 배 속에 품고 있을 적, 남편이 영영 이 세상을 떠나 버렸지. 짧은 기사 하나로 끝난 화재 사건이었다. 직후 나는 우울증을 앓느라 정상적으로 돈을 벌지 못했어."

그래서 버렸군요.

그녀가 굳이 나를 찾아와 구구절절 설명하는 이유를 몰라도 왜 나를 버렸는지는 이미 이해할 수 있었습니다. 음. 일하던 식당 구석 티브이에서 틀어지던 막장 드라마의 스토리였습니다. 참신하지 못한 흔한 이야기. '이름 모를 아버지는 세상에 일찌감치 없었구나.' 정도가 찰나의 감상이었습니다.

재난이란 언제 어디서든 끊임없이 일어나기 마련입니다. 어떤 사건에 시선과 감정을 머물러 두기엔 너무 많은 사건이 있기에, 그중 하나가 내 아버지의 일이란 게 놀랍지만은 않다고 생각했습니다. 하지만 어머니의 텅 빈 시선은 지금 그녀 앞의 내가 아닌 과거에 살아 있었을 아버지를 향한 듯 보였습니다.

"갓난아이였던 넌 나에게 감정을 갈무리할 여유를 주지 않았어."

오, 여기서 내 탓을 할 줄이야. 조금 참신해진 흐름에 나는 커피의 수면을 관찰하던 눈을 수영을 향해 돌렸습니다. 그러나 수영이 여전히 고개를 아래로 떨구고 있는 탓에 그녀의 표정을 볼 순 없었습니다.

"그래, 갓난아이는 슬픔을 추스를 시간을 주지 못하지. 결국 돈으로도, 환경으로도, 사랑으로도 키울 수 없어진 너를 본가에 맡겼다. 그때는 이렇게 시간이 지나 너를 찾아올 생각이 아니었고, 또 이제야 찾아올 생각도 없었다만…… 나는 네가 본가에서 돈으로나마 잘 키워질 줄 여겼단다."

그럴 리가. 나는 보육원에서 평생을 자랐습니다. 나라에서 받은 독립 지원금은 일찌감치 노동하다가 망가진 몸의 수술비로 나갔습니다. 평생을 돈으로 키워지긴커녕 보육원과 고시원을 벗어난 적이 없었습니다.

"그땐 이성이 없었던 모양이지. 본가는 사람이 궁하진 않다면서, 보육원으로 아이를 버렸다고 했다."

수영이 그제야 고개를 들어 나를 바라봤습니다. 그때 나는 수영의 눈에 비친 스스로를 마주할 뿐이었습니다.

"나도 사흘 전 변호사에게 들었단다."

"……예."

변명하듯 덧붙인 한마디를 끝으로 다시 수영은 눈을 떨궜습니다.

"그간 재산 다툼을 많이 한 모양이다. 그런데 연락이 왔어. 사고로 내 부모와 형제들이 모두 다 한꺼번에 죽었다고. 그래서 그들의 재산이 모조리 내게 상속됐다."

어머니는 많은 시간 공들여 쓴 대본을 읊듯이 말했습니다. 하늘에서 유산이 떨어졌다는 이유로 달리 기뻐하는 것 같지도 않았고, 어찌 되었든 인간이기에 미안한 것도 같았고, 단지 해야 할 말을 까먹지 않기 위함 같기도 했습니다.

이렇든 저렇든 난 처음부터 그녀가 무슨 말을 한들 자비롭게 이해한다, 괜찮다는 말을 해 줄 의향이 없었습니다. 어머니가 뒤늦게 찾아왔을 때 느낀 감정이라곤 '어머니란 존재가 유용하겠다.'라는 이기적인 생존 본능. 일찍부터 그 이상의 것을 기대하지 않았습니다. 내 부모란 사람이 나를 사랑하지 않았다는 건 어릴 적부터 받아들일 수밖에 없었던 사실이니까요. 다른 이들도 주저 없이 말했습니다.

네 부모는 널 사랑하지 않으니까 버린 거야.

사정이 있으니 버렸을 거라고 말하는 사람도 있었지만 그게 그거 아니겠습니까. 사정을 모르니 이해할 수도 없었으나 그 사정이란 것보다 내가 덜 중요했던 것뿐입니다. 덜 사랑받았든가, 짐이 되었든가. 어느 쪽이든 필요 없고 거추장스러워서 버린 겁니다. 그렇다면야 나도 매달릴 생각은 없었습니다. 애정을 구걸하는 것만큼 부질없고 추접스러운 건 없으니까요. 애당초 그들이 날 버렸으니 나도 일찌감치 부모를 내 안에서 버렸습니다. 그랬을 터인데.

처음 보게 된 이수영이라는 사람은 낯설고 어색했지만 나와 너무 닮아 있었습니다.

"용서는 바라지 않으마."

눈은 쭉 찢어졌고, 코 선은 부드러우며 입술은 도톰했습니다. 어머니란 존재를 상상해 봤을 때 그렸던 억센 낯과 달리 고운 얼굴.

"하지만 나도, 너도 돈이 있다면 어떻게든 살아갈 수 있지 않겠니."

……답지 않게 거친 손까지. 25년간 없었던 어머니의 존재를 단번에 믿을 만큼, 나는 이 사람을 닮았습니다.

"나는 평화롭고 싶었을 뿐이란다."

자신의 이야길 끝낸 수영은 무엇이든 나의 답을 기다리는 양 다 식은 커피를 홀짝였습니다. 그제야 나는 처음부터 그녀에게 궁금했던 것을 물을 수 있었습니다.

"여긴 어떻게 찾아온 거예요?"

커피를 마저 넘기지 못한 그녀의 고운 목울대가 음, 하고 낮게 울렸습니다. 그러곤 대수롭지 않게,

"돈이 있다면 어떻게든 되지 않겠니."

이수영은 내가 따라나서고 함께 살던 2년 동안 단 한 번도 나의 역사를 물어본 적이 없습니다.

꿈자리가 사나워 아침이 아닌 새벽을 맞이했습니다. 어

머니의 머리가 관통되는 모습을 정면으로 관전한 것치곤, 평소 자던 시간에 까무룩 수마를 맞은 나는 참으로 멀쩡하구나 싶었는데. 왜 어머니는 홀로 남게 된 내 첫 꿈에마저 찾아왔는지. 현실감 없던 지금이 되레 내가 살아내야 할 현실이란 걸 대변하듯, 살아 돌아올 리 없는 어머닌 꿈속만을 헤집고 떠나 버렸습니다. 어두컴컴한 천장이 새벽빛에 물들어 점차 푸르스름하게 변할 때까지 난 멍하니 눈앞에 떠다니는 어머니의 얼굴을 좇았습니다. 다행히도 방아쇠를 당길 때 마주한 어머니의 표정보다는 방금 꿈속에서 본 어머니의 이목구비가 더 생생하게 느껴졌습니다.

난, 돈도 많고 살아갈 터전도 있습니다. 그런데 이상하죠. 어머니가 죽자 아무래도 좋다고 생각했던 혼자만의 삶이 '살아남음'에 적합하지 않다고 느껴졌습니다. 초인종이 삼십 번씩 울리던 아파트에선 사람이 가장 위험한 요소라 여겼습니다. 그러니 도피해 온 이곳은 평생 안전하게 지내기 최적인 장소임이 틀림없는데요. 그럼에도 오두막 생활의 앞날이 보이질 않았습니다. 머릿속은 부정적인 생각만으로 가득 차서 한 줄기 희망의 틈새조차 내어 주지 못했습니다. 유일한 취미였던 인형 만들기조차, 혼자 사는 이 오두막에 인형들이 가득해진다고 생각하면 무서워서 퉤져 버릴 것 같았습니다. 어떻게든 될 것만 같았던 생활이 어떻게도 되지 않을 듯했습니다.

분명 어머니와 함께 하는 생활도 별거 없었습니다. 아파트에선 어머니가 건네주는 내 몫의 돈이 꽤 쏠쏠했고, 오두막에선 야생에 능숙한 그녀가 꽤 의지가 됐을 뿐입니다. 그래요. 어머니가 그리울 리 없습니다. 내가 이리도 무력하게 느껴지고 불안한 건 가만히 있어도 많은 것을 쥐여 주던 그녀의 자리가 허상같이 느껴져 공허한 탓일 겁니다.

“하하.”

웃음이 절로 나오지 않습니까? 분명 살아남고 싶다는 욕망으로 함께 도망쳐 왔습니다. 이번엔 날 버리지 않고 데려와 살뜰히 보살펴 준다 했더니만, 평화롭고 싶다던 어머닌 누구보다 요란하게 죽어 버렸습니다. 참으로 하찮기 짝이 없는 인생. 그녀나 나나, 피차 별 볼 일 없는 인생을 살았습니다. 삶의 고저만큼은 계속해서 출렁였지만 이러나저러나 무미건조한 삶. 선생님. 우습게도, 나는 그토록 적극적으로 살아남고자 하는 자신을 이해할 수 없었습니다. 사람의 온기를 그제야 찾고 있는 내가 이해되지 않았습니다. 그를 이해하기엔 나는 과하도록 아무 생각 없이 살았고 나를 몰랐습니다.

과거의 나는 그래야 살 수 있었습니다. 살기 위해 살던 내게 그건 방어 수단이자 생존 수단이었습니다. 감정이란 건 항상 내 곁에서 상주하고 온전히 내 몫인 녀석들이었지만 그것을 난 낯선 이방인으로서 대했습니다. 허둥대고, 터무니없는 충동적인 행동을 하고, 속절없이 두근거리고, 억지를 쓰는 건 내겐 답지 않은 것들이었습니다. 친절과 자비 그리고 상냥함은 여유 있는 사람에게만 허락되는 거라 생각했습니다.

그리 살아온 내게 어머니가 찾아와 돈 걱정 없이 살게 되었을 땐 뭘 하면 좋을지 당황스럽기까지 했습니다. 어렸을 적 꿈꿔 왔던 상황이 현실이 되었음에도 만끽하지 못했습니다. 성인이 된 이후론 막연히 돈이 많았으면 했지, 돈이 많아졌을 때를 대비해 본 적 없기에. 부자는 어디에 돈을 쓰는지 감히 나를 그 망상에 넣어 상상해 본 적 없었습니다. 대뜸 운전도 하지 못하면서 외제 차를 산다든지 하는 비상식적인 돈 낭비를 할 배포도 내겐 없었고, 처음엔 단지 비싼 음식들을 먹었어요. 백화점에 가 옷을 살 적엔 직원의 자리에 있을 내가 고객이 되어 옷을 산다는 게 어찌나 어색하던지. 그래서 내가 택한 건 남들을 모방하는 것이었습니다. 미용실에 가 반나절 동안 다과를 받아 가며 앉아만 있어야 하는 파마도 해 봤습니다. 하나같이 다 좋더군요. 아— 역시 돈이 있으면 삶이 편합니다. 이것저것 따라 하다 보니 나름대로 취향이란 것도 생겼습니다. 그런데 그것도 어느 정도 즐기니 흥이 나질 않더군요. 끝내, 나는 설레는 감정마저 귀찮아하는 인간이 되고 말았습니다.

공허했습니다. 내 삶의 이유를 알 수 없었습니다. 나보다 나이 많은 혈육인 어머니에게 조언을 구하자니 그녀는 이미 날 두고 자연으로 돌아가 버렸습니다. 그걸 보면 그녀의 삶도 이유가 있진 않았던 듯싶은데, 다들 그리 사는 걸까요? 그 이유를 외면하고 잊어 가면서.

내 생도 결국은 사망자 1로, 숫자로서 끝나게 될까요? 모순되게도, 무엇보다 그것이 나를 미치도록 공포스럽게 했습니다. 난 과거와 달리 취향도 있고, 집도 있는 사람인데요? 그럼에도 홀로 죽어 처리반이 들어와 나를 작은 단지로 만든 뒤 물건마저 폐기하면 난 이대로 숫자가 되어 버리고 맙니다. 그게 날 살아남게 만듭니다.

아, 어머니.

그제야 조금은 어머니의 마음을 이해할 수 있을 것 같았습니다.

그래서 사람들 속에서 죽으셨나요?

내 눈앞에서 죽으셨나요?

살 의미가 없는 와중에도 외롭고 싶지는 않으셨나요?

산 사람에 대한 배려의 여유는 없을지언정, 죽는 순간과 죽고 난 뒤 외로움의 공포는 있으셨는가요?

숫자가 아닌 광녀를 택하신 건가요?

딸을 남기고 자살한 비운의 여성이 되어 잊히기보다, 총을 들고 마트에 나타난 무서운 여자가 되어 어떻게든 기억되고 싶었나요?

아, 어머니. 당신은 어쩌면 성공했습니다.

마트가 사라지지 않는 한, 사람들은 어머니가 죽은 자리만을 기억하고 그 작은 땅을 피해 다닐지도 모릅니다.

아니, 적어도 나 하나는 당신의 머리가 꿰뚫리던 순간을 영영 잊지 못함을 괴로워할 것이며 치매가 닥치지 않는 이상 당신을 잊을 일은 없겠지요.

어머니. 당신은 죽음으로써 타인에게 스스로를 영원히 각인시켰습니다. 만족스러우신가요? 나는 언제까지고 그때를 영영 잊지도 못한 채, 어머니에게서 벗어날 수 없겠지요.

난 불현듯 궁금증이 갈증처럼 밀려왔습니다.

선생님. 어머니는 단 한 순간이라도 날 사랑했을까요?

시나브로 햇볕이 담벼락을 기어 창문을 통과했습니다. 빛이 내 얼굴을 비출 무렵 난 벌떡 일어나 목적도 없이 마트로 향했습니다. 방 안의 일체가 너무나 선명히 보였기 때문입니다. 아파트에 살 땐 숲으로 가면 머리가 돌아갈 것 같았는데, 허허벌판인 지금은 사람을 보아야만 숨이 트일 것 같았습니다. 오두막에서 마트로 가는 오솔길을 걸으면서도 숨이 잘 쉬어지지 않았습니다. 점점 밀려오는 두통에 나는 전력을 다해 마트로 뛸 수밖에 없었습니다. 그리고 생각했습니다.

어머니는 총을 들고 이곳을 걸었을 거다.

저 움푹 파인 작은 발자국은 분명 어머니가 남긴 것이다.

어머닌 내가 마트에 간 줄 알고 있었다. 그럼에도.

마트가 보였습니다. 시야에 건물이 어렴풋이 보였을 때부터 두근거리던 가슴이 조금씩 가라앉기 시작했습니다. 어머니가 내 눈앞에서 죽었던 장소임에도 사람이 바글거릴 그곳이 거짓말같이 날 안심시켰어요. 공포 영화를 볼 때면 주인공이 살고 싶다면서 사건의 한복판에 나가는 것을 이해하지 못했는데, 이제 뼈저리게 납득할 수 있었습니다.

선생님. 저는 인정해야만 했습니다. 나는 홀로 살아남을 수 없다고. 사람이 필요하고, 지식이 필요하며 문명이 필요하다고.

나가야 했습니다. 도움을 청한들 이 세상에 날 도와줄 이가 있을진 모르겠지만 적어도 상황을 아는 사람들 속에 섞여 들어야 했습니다. 그것이 홀로 남은 내가 생각한 가장 살아남기 좋은 환경과 조건이었습니다.

나는 내가 여러모로 바보 같은 짓을 했다는 걸 단 하루만에 다시 가게 된 마트에서 알았습니다. 입구에서부터 사람들은 안 그래도 숲속에서 총성이 자주 들렸다며 수군거렸습니다.

1킬로라는 거리는 총성을 감추지 못하는구나.

도시 촌년인 나는 막연히도 우거진 나무들이 소리를 머금어 줄 것으로 생각했습니다. 즉, '이곳에 사람이 있다!'라고 외치고 다닌 셈이었습니다.

오두막에서 단둘이 생활하면서 지레짐작했던 것처럼 나와 만나기 전 어머니는 밀렵꾼으로 생활한 모양이었습니다. 왜 하고 많은 직업 중에 밀렵을 택한 것인지 이미 없어진 사람에게 물을 수 없지만요. 어찌 됐든 어머니의 총성에 겁을 먹고 웬만한 사람들은 가까이 오지 않았을 테니 괜찮았을까 싶기도 하고, 참으로 무지했던 외딴섬 생활이라고 자조할 수밖에요.

마트 직원들은 굳이 사람들 속에서 총으로 자살한 미친 여자에 대해 얘기하고 있었습니다. 어머니의 죽음은 그들 사이에서 엄청난 뉴스거리였죠.

“광인병인가 뭔가 때문에 죽은 거라매? 병 걸린 사람이 왜 허구많은 곳 중에 이곳까지 와서 뒈진 거야. 무서워서 살겄나.”

“공무원 형씨한테 들었는데 딸하고 단둘이 살고 있었던 모양이에요. 딸은 병에 안 걸린 건지 모르겠네.”

“당연히 딸도 멀쩡하지 않겠지! 어휴, 안 그래도 전염병일 수도 있다고 난리던데.”

“전 처음부터 불안했어요. 외지에서 밀렵꾼들이 때 되면 알음알음 들어왔잖아요. 다 알면서 모른 척했을 뿐이지. 그 아줌마가 왜 이 시기에 들어와 있었는지는 모르겠지만요.”

“악! 이러나저러나 민폐여! 이놈이고 저년이고 외부인들은 막아야 쓰는 건디!”

괄괄한 뽀글 머리 아줌마는 마스크를 썼음에도 불구하고 입을 격하게 씩씩대며 움직이는 바람에 코가 삐죽 삐져나와 있었습니다.

“마스크 올려요, 아주머니. 우리 같은 사람들은 더 조심해야 해. 신고 들어오면 얄짤없이 잘린다구. 아주머니 없으면 나 재미없어?”

같이 수다 떨던 청년이 물류 수레를 옮기며 말했습니다. 아줌마는 에구머니나, 하며 금세 마스크를 올렸습니다. 욕망과 본능을 참지 못하게 된다는 광인병이 전염된다는 말은 그냥 사람들 사이에 도는 헛소문이었는데도 이 근방 사람들은 마트 직원들에게 마스크를 쓰고 일하라고 한 듯 보였습니다.

아주머니가 내 어머니 같다느니 청년도 내 아들 같다느니 하는 훈훈한 수다로 넘어갔을 때, 난 마트 한가운데로 이끌리듯 발을 옮기고 있었습니다. 텅 빈 눈을 하고 손을 허공에 허우적대는 나를 발견한 사람들은 누구랄 것 없이 슬금슬금 멀리 피했습니다. 모세의 기적을 경험하며 다시금 그날처럼 사과 매대 앞에 서서 하얀 석면 바닥을 저 멀리 마주했습니다. 기이할 정도로 똑같은 풍경. 마트는 아무 일 없었던 것처럼 돌아가고 있었습니다. 누구도 기억하지 못한다는 듯이 다음 필요한 물건을 향해 빠르게 오가며 나만이 기억하는 그 작은 땅을 무심히 밟고 지나갔습니다. 어머니가 해냈던 요란한 기행의 흔적은 온데간데없었습니다.

정신없이 두리번거리던 그때 내 귀에 비난이 가득 들어

찼습니다.

"그 미친년은 다른 사람도 쏠 년이야!"

"죽는 게 욕망이면 혼자 조용히 죽든가."

"어떻게 살았으면 병에 걸렸다 해도 그렇지, 자살을 해?"

나는 그 입 닫으라며 악에 받쳐 소리 지르고 싶었지만 턱만 바르르 떨면서 우두커니 서 있을 수밖에 없었습니다. 나도 그들과 다를 바 없이 생각했기에.

"딸이 있었다던데. 딸도 따라 죽는 거 아냐?"

그러게요. 마트로 오기 전엔 숨이 쉬어지질 않아 이렇게 질식하듯 죽는 게 아닐까 싶었습니다. 하지만 이곳에 오고 보니 어떻게든 살아야겠단 생각이 들었습니다. 난 어머니처럼 살지 말고, 어머니처럼 죽지 말아야겠단 생각이 들었습니다.

어머니. 누구도 궁금해하지 않습니다. 알고자 하지 않아요.

마트에 있는 사람 모두가 총성을 들었다는데, 정작 어머니를 궁금해하는 사람은 어디에도 없었습니다. 수영과 수연이라는 웃기지도 않는 쌍둥이 같은 이름을 기억하는 이는 단 한 명도 없었습니다. 우린 단지 자살한 여자와 그녀의 딸로, 우수수 쏟아지는 가십과 다를 바 없이 소비되고 있었습니다.

선생님. 그제야 난 깨달았습니다. 이미 어머니와 난 이 세계에서 평범하게 비참하단 사실을요. 특별할 것 하나 없이 고통스러워하는 중이었습니다. 나도 아파트에서 타살과 자살과 사고가 난무할 때 알고자 하지 않았습니다. 한때는 귀찮았고, 가끔은 재밌다가, 미련 없이 뒤돌아 잊었습니다.

이성을 잃고 욕망만이 남는 병이 퍼진 세상에서 욕망 너머에 감정이 있단 사실을 철저히 잊고 있었습니다. 샅샅이 소독된 석면 바닥을 미친년처럼 헤집으며 다시금 두근거리는 심장을 쥐고 실재하는 내 감정을 느꼈습니다. 나조차 알아주지 않았던 감정이란 놈은 지금 이 순간에도 계속 변화하며 날 괴롭게 했습니다. 누가 인지하든 말든 상관없이. 신의 분노니, 멸망의 징조니 해도 세상은 어떻게든 돌아가고 있었습니다. 이 산골짜기 마트조차 총을 들고 자살한 사람이 있든 말든 평소처럼 멀쩡히 재개됩니다. 내겐 주인 모를 마트 속 웅성거림이 누군가가 잊히지 않기 위한 울부짖음으로 들리는 것 같았습니다.

내 애길 좀 들어 다오. 날 좀 알아 다오.

"저 여자, 분명 어디서 본 것 같은데……."

멀리서 어떤 남자 목소리가 들려왔을 땐 다른 사람들 사이에 묻혀 마트를 빠져나와야 했습니다. 내 머릿속엔 당장 돌아가야 한단 생각만으로 가득했습니다. 내 안식 없는 안식처로. 사람이 만드는 소음이 들리는, 안전한 벌집 같은 그 곳으로.

오두막은 애초에 사람이 아예 올 수 없는 곳도 아니었습니다. 다시 가게 된 마트는 적어도 내게는 영영 대피소가 될 수 없겠죠. 덕분에 아파트로 돌아가야겠다는 결심을 굳힐 수 있었습니다. 어머니의 망할 총소리를 기억하는 사람 중 나쁜 뜻을 가진 누군가가 불쑥 숲속으로 들어올지는 아무도 모르는 일입니다. 정말 아무도 모를 겁니다. 내가 강간을 당해도, 살려 달라고 고래고래 소리를 질러도, 살인을 당해도. 나는 나를 보호할 수단이 없었습니다. 어머니의 총마저 경찰이 가져가 버렸는걸요.

아파트로 돌아간다면 오두막에서 챙길 것은 많지 않았습니다. 심지어 어머니가 집 안에 몇 달이고 먹고살 만한 통조림과 빵 따위를 팬트리에 쌓아 두었으니 한동안 그것만으로도 살 수 있을 터였습니다. 어쨌든 내게 당장 지금 필요한 건 창밖의, 혹은 옆집의 지긋지긋하던 소음이었습니다. 내 곁에 사람이 있다는 안도감. 운이 좋다면 내가 어쩌다 죽었는지는 알아줄 사람을 만날 수 있는 곳으로 말이에요.

필요하다고 생각되는 물건도 어머니의 것이면 손을 댈 수 없었습니다. 내 물건을 제외하면 오두막에 남아 있는 어머니의 물건 일체가 유품 같아서 어차피 쓸 수도 없을 것 같았습니다. 나는 한결 가벼워진 배낭을 메고 오두막을 떠났습니다. 어머니와 이곳으로 온 지 석 달하고도 하루, 어머니가 죽은 지 하루만이었습니다.

기어코 난 꾸역꾸역 더 살아남기로 했습니다.

02
재입성

수연이 아파트로 돌아가기 위해 버스 터미널에 다다랐을 때, 정부가 광인병을 '전염성 정신 질환'으로 판단, 대항하겠다고 공식 선포했다며 주변이 떠들썩했다.

"전염되는 정신 질환이라니. 그런 게 가능한가?"

"하여튼 돌림병이란 소리지?"

비좁은 터미널 대기석에 앉은 사람들은 서로를 힐끔거렸고, 한 사람이 주섬주섬 마스크를 쓰자 너 나 할 것 없이 손수건과 옷가지 등으로 얼굴을 가리기 시작했다. 수연은 그들을 따라 급한 대로 소매로 코와 입을 가리면서 자신에게도 병이 감염된 건 아닐까 목구멍에 가시라도 박힌 것처럼 마음이 걸렸다. 경찰과 재난 센터 직원 모두 어머니가 광인병으로 자살한 거라고 했다. 전염병이라면 동고동락하며 하루에 세 끼씩 꼬박 함께 식사한 자신에게 감염 증상이 나타나질 않는 게 신기할 지경이었다. 이미 버스표를 예매한 수연은 '난 어차피 전염병인지 몰랐다.'라고 열심히 합리화했다. 분명 오두막에서 잡히던 라디오 채널에선 희망적인 얘기만 했었는데 그게 편파 방송이었다니, 배신감마저 들 정도였다.

대기석 벽면에 매달린 티브이로 긴급 편성된 재난 방송이 방영되고 있었다. 웅성거리던 모두가 숨을 죽인 채 티브이 속 퀭한 모습의 교수가 말하는 것에 집중했다.

Q. 이 모든 사태가 '전염성 정신 질환' 때문에 일어난 일이라는 건가요, 교수님?

A. 정확히는 그렇게 생각하기로 했다는 게 지금 말씀드릴 수 있는 전부입니다.

Q. 몇 달 전부터 한국에선 발 빠르게 '욕망을 자제하지 못했다'라는 진술을 한 범죄자들을 격리하고 관찰해 왔는데요. 대부분 환청이나 피해망상과 같은 이상 증세는 없었다고 하던데, 기

존의 충동 장애와 많이 다르다고 하지요?

A. 그렇습니다. 광인병 환자는 욕망을 참지 못하는 순간이 발작하듯 반복해서 찾아옵니다. 그리고 의료진은 욕망 해소를 향한 갈망을 어떤 약물로도 막을 수 없었습니다. 즉, 아직까지 백약 무효한 병이라는 거지요. 마치 해열제로 가라앉혀지지 않는 고열과 같습니다. 천만다행인 점은 병적인 충동성이 비규칙적으로 수차례 찾아왔다가도 저절로 완치되는 것처럼 보인다는 겁니다. 그리고 만족스러운 욕구 해소가 이루어지고 나면 일반적인 사람보다 무욕인 상태가 지속된다는 점도 특이점이죠. 소위 '현자 타임'이라고들 하죠? 단순하게 바라보자면 그것과 비슷하다고 볼 수 있습니다. 하여 정부는 일찍부터 격리 치료 시설을 많은 지역에 설립하여 최대한 안전한 방식으로 완치에 도달할 수 있도록 돕고 있었습니다.

Q. 전염병이라는 결정은 왜 내리게 된 건가요? 전염성 정신 질환이라는 게 가능한 건가요?

A. 기존에도 방호복을 입고 환자들을 대하는 등, 전염성의 가능성을 열어 두었습니다. 하지만 '전염성 정신 질환'이 아닐까

추측만 할 뿐 정체를 알아낼 수 없었죠. 분명한 건 확실하게 전염성을 확인하고 대처하기엔 너무 늦는다는 것입니다. 생각지도 못한 곳에서 한두 명씩 환자가 발생하고 있는 지금도 많이 늦었다고 보아야 합니다. 수습이 불가해지기 전에 전염병이 창궐했다고 받아들이고 그에 맞춰 신속히 대처해야 합니다. 정체 모를 병이 생겼으니, 인간이 아직 발견하지 못한 감염 경로가 있다고 해도 이상하지 않습니다. 체액 혹은 벌레 등으로 인한 바이러스 감염은 아닌지 명명백백히 밝혀내야…….

교수의 브리핑이 들리지 않을 정도로 웅성거림이 점차 커졌다. 본인이 얼마나 혼란스럽고 당혹스러운지에 대해서 모두가 말하고 있었다. 곧이어 뉴스에선 '범죄자' 딱지가 붙은 부류의 사람들을 이제라도 감염자로 분류해, 비의도적인 범죄로서 처벌을 달리해야 한다며 매달리는 영상과, 이미 피해를 본 부류의 사람들이 가해자를 옹호하지 말라며 반발하는 영상이 연이어 틀어졌다. 그러거나 말거나 사람들은 뉴스 속에서 교양 있는 표준어로 돌려 돌려 전한 말도 안 되는 전염병을 현실로 받아들일 수 없다고 했다.

"왜 미친 범죄자 새끼들을 세금 처들여 가면서 치료해?!"

"차라리 악마의 저주라고 해라!"

"신이 노한 거여! 아이고, 하나님."

수연은 침을 튀겨 가며 고래고래 소리를 지르는 노인과 신을 찾아 가며 눈에서 즙을 짜내는 아줌마를 뒤로하고 필사적으로 코와 입을 가리며 일찍 버스에 올라탔다. 원하는 것도 궁금한 것도 없는 무생물이 아닌 이상 광인병으로부터 안전한 생물은 없다고, 마음속에 피어난 불안에 못을 하나 더 박게 된 날이었다.

반나절을 달리고 달려 다시 돌아온 아파트는 삼엄한 경계로 둘러싸인 요새처럼 바뀌어 있었다. 탁 트인 공원과 놀이터가 바로 앞에 있어 자연과 어우러진 것만 같던 아파트는 어느새 견고한 벽돌 소재의 담벼락으로 둘러싸여 있었다. 곳곳엔 주민들이 고용한 듯한 경비원들이 선 채였다. 3개월 전의 부산스러운 느낌은 온데간데없이 전혀 다른 장소 같았다. 짐을 바리바리 등에 이고 아파트로 들어오려는 수연은 누가 보아도 외부인이었고, 역시나 아파트 입구를 지키던 경비원은 그녀를 불러 세웠다.

"저, 이 짐은 장기 출장을 다녀와서 그래요. 원래 여기 사는데⋯⋯ 저 기억 안 나세요?"

경비원은 첩자라도 잡듯이 새쭉해진 눈으로 수연을 훑으

며 경계하다 신분증을 보고 나서야 아파트 입구를 열어 줬다. 당연히 기억에 없을 터였다. 2년을 여기에 살면서 경비원과 인사를 나눈 적이 없었다. 사실 수연은 마스크를 쓴 그가 전에 입구에 있던 경비원과 같은 사람이 맞는지 아닌지도 몰랐다.

입구를 넘어서 올려본 아파트 벽면엔 '광인병자 격리 시설 결사반대' 현수막이 덕지덕지 붙어서 값비싼 벽재를 다 가리고 있었다. 이미 헤지고 낡은 것을 보면 논쟁의 결과가 나오고도 남았을 것 같은데, 꿋꿋이 펄럭이게 내버려 둔 현수막은 주민의 인정할 수 없다는 고집을 그대로 보여 주는 듯했다. 고급 아파트인지 싸구려 원룸 빌라인지 구별할 수 있는 거라곤, 높고 견고한 담벼락과 깐깐하고 지쳐 보이는 경비원의 여부 정도가 아닐까.

역시나 격리 치료 센터 운영은 이미 진행 중인지 그곳에서 뽑는 구인·구직 정보들도 1층 알림판에 함께 뒤엉켜 붙어 있었다. 위에, 그 위에 붙이기만 하고 누구도 정리할 생각 없는 알림판은 수연이 떠났던 3개월간에 있었던 일들을 대강이나마 알 수 있게 했다. 그 와중에 경쟁에 이기지 못하고 구석빼기에 떨어질 듯 말 듯 대롱대롱 매달려 있는 종이가 되레 눈에 띄었다.

"관심 있으면 아가씨가 떼서 가져가요. 안 그래도 거슬렸는데."

옆에서 엘리베이터를 기다리던 두툼한 인상의 여자가 말했다. 수연은 자신에게 이모가 있다면 이 정도 나이대일까 생각했다. 관심 있게 보던 종이를 떼어 품에 넣곤 그녀와 함께 엘리베이터를 기다렸다.

"뭐 하고 싶은 말이라도 있어요?"

수연은 흰색 가운을 입고 있는 그녀를 힐끗대다 들켜 버렸다.

"이― 이 앞에서, 일하시나 봐요."

답지 않게 부드러운 뉘앙스로 말하고자 했건만, 마음과 달리 갈라진 쇳소리부터 나왔다. 수연은 민망함에도 불구하고 흰색 가운을 입고 있는 그녀가 감염자 치료 시설에서 일하는 의사인 걸까 궁금했다.

"아, 이 앞에서 약국 해요."

유감스럽게도 의사가 아니었다. 그녀는 이미 수연이 왜 말을 걸었는지 안다는 듯이 자신의 가운을 툭툭 털며 묻지 않은 것까지 답했다.

"나도 여기 사는 데 집에서 가져올 게 있어서. 아가씨도 여기 주민 맞죠? 짐을 바리바리 싸 들고 계시네."

"아……. 예. 장기로 출장을 좀."

"아아 출장. 그렇군요."

그녀도 수연의 커다란 짐에 대한 의문점을 풀었는지 엘리베이터 패널의 줄어드는 빨간 숫자로 눈을 돌렸다. 짧은 대화를 끝으로 고요 속에 숨이 막힐 것만 같을 때 마침 엘리베이터가 도착했다. 띵— 하는 소리를 끝으로 단둘이 비좁은 공간에 들어간 뒤부터 수연은 다시금 미칠 것 같았지만. 여자가 17층 버튼을 누른 뒤 짐이 많은 수연에게 물었다.

"몇 층이에요? 눌러 줄게."

"괜찮아요."

수연은 바보같이 허둥대다 대답했다. 자신의 목적지도 17층이었으니까.

"와, 나 여기서 오래 살았는데 아가씨가 이웃인 줄도 몰랐네! 새삼 더 반갑다!"

한 층에 두 가구밖에 없는 고급 아파트에서 같은 층이라니. 그녀는 층이 같다는 이유만으로 갑작스레 거리를 좁히며 껄껄 웃어 댔다. 같은 층에 살고 같은 여자인 마당에 더는 거리 둘 필요 없다고 여기는 듯했다. 적당한 정보만 궁금했을 뿐 친밀하게 지낼 생각까진 없었던 수연은 땀을 삐질삐질 흘리며 하하하 하고 어색하게 웃을 수밖에 없었다. 짐까지 함께 들어 준다며 난리를 치는 통에 '괜찮아요.'라고 몇 번을 말했는지 모른다.

드디어 도착한 17층에 나란히 함께 내려 각자의 문 앞에 섰다. 1분 남짓이 어찌나 길던지. 수연은 땀으로 손이 축축해진 탓에 주인을 알아보지 못하는 도어 록 앞에서 한참을 씨름해야 했다. 여자는 자신의 집 문 앞에 서서 낑낑대는 수연의 모습을 가만히 바라보고 있었다.

겨우 열린 문을 발끝으로 거칠게 잡아 지체 없이 집으로 들어가던 수연의 뒤로 웃음 섞인 목소리가 들렸다.

"괜찮다고 하지 말고 힘들면 찾아와. 내가 뭐든 들어 줄게."

고개를 돌렸을 땐 이미 묵직한 무게의 문이 닫힌 뒤였다. 그러곤 사삭— 소리가 나더니 문 밑 틈 사이로 명함 하나가 들어왔다.

마리아 약국 약사 서평화. 직업과 인상과 이름이 몹시 통일성 있는 사람이었다.

현관 거울에 비친 수연의 얼굴은 빨갛게 달아올라 있었다. 사교성 있게 소소한 도움을 적절히 청하지 못하고 바보같이 허둥댄 자신이 부끄럽게 느껴졌다.

집에 들어와 거북이 등딱지 같던 짐을 내려놓자마자 침

실로 향했다. 나갈 때에 비해 아무리 가벼워졌다 한들 거대한 짐을 혼자 이고 지고 반나절 만에 돌아오기엔 강행군이었다. 몇 시간 동안 신발 속에서 냄새를 머금고 있던 양말과 땀으로 축축해진 윗도리를 훌훌 벗고 바지 버클만 푼 채 먼지 쌓인 침대에 대자로 누웠다. 어머니랍시고 딸의 옷을 줍는 사람도 없으니 이러고 자든 저러고 자든 자유였다.

수연은 이런저런 생각을 할 겨를도 없이 꼬빡 잠이 들었다.

다시 돌아온 아파트에서의 첫날에도 어머니가 나오는 꿈을 꿨다. 다른 사람들은 꿈속에서 하늘도 날고 부자도 되고 한다던데 수연의 꿈속에선 정해진 필름이 돌아가듯 옛일만 그대로 반복됐다. 하지만 아무리 생생한 꿈도 현실과 구분할 수 있었다. 저렇게, 거실 소파에 있어선 안 되는 사람이 떡하니 앉아 있으니. 수연은 방 문고리를 잡은 채 어머닐 바라보았다.

"어머니 행세는 하지 않으마. 다만 역할 정도는 충실히 하려고 해. 그러니 날 이용해야 할 땐 주저 말고 얘기하렴. 네게 빚을 진 만큼 무엇보다 우선시하겠다. 알겠지?"

말을 끝내자마자 수영은 미리부터 손에 들고 있던 리모

컨으로 티브이를 켜 대화를 이어 나갈 생각이 없음을 표명했다. 대답을 바란 말이 아니었다. 수연은 참으로 매정한 한마디라 생각했지만 어차피 누군가와 대화를 할 힘도 의욕도 바닥인 상태였다. 단지 자신에게 빚을 졌다는 어머니란 존재는 앞으로 꽤 유용하리라 생각했다. 그러면서 별다른 의견 표출 없이 문고리를 마저 돌렸다.

꿈속에서 방문을 열고, 번쩍하곤 수연의 눈이 떠졌다. 장장 11시간을 자고 일어났다. 몸이 물에 젖은 솜처럼 무거운 걸 봐선 더 잘 수 있을 것 같은데, 미적거리고 싶은 몸뚱이와 달리 이미 깨어 버린 정신은 구린내와 찝찝함을 빨리 씻어 내기나 하라며 재촉했다. 던져 놓은 윗도리와 양말 한 짝을 주우며 비틀비틀 화장실로 가다가 발걸음을 멈추고 한동안 거실을 바라봤다. 수연은 장승처럼 서서 구린내도, 남아 있던 발바닥의 찌릿한 통증도 잊은 채 눈앞에 보이는 풍경을 꿈과 구분하기 위해 애써야 했다.

잠도 푹 잤겠다, 콸콸 나오는 뜨끈한 물로 샤워도 했겠다. 수연은 모든 상념을 물에 흘려보내고 소파에 누워 핸드폰으로 3개월간 세상에 무슨 일들이 있었는지 훑었다. 그러곤 오두막에서 듣던 라디오 채널이 그간 '의문의 병이 완치가 가능하다.'라는 일면을 알아낸 것만으로 호들갑 떨었단 사실을 알게 됐다.

광인병은 원초적인 본능과 욕망이 끓어오르는, 그야말로 전례 없는 병이었다. 정체를 알 수 없으니 감염자들의 처우도 단순했다. 처음엔 감염자를 독방에 격리하고 완치되길 기다리는 방식이었으나, 광인병으로 인한 분노와 욕구들은 온갖 진정제로도 가라앉혀지지 않았다. 홀로 남겨져 욕구를 효과적으로 분출할 수 없게 된 감염자들은 욕구의 방향을 틀어 자해하기까지 이르러 죽게 된 사례도 볼 수 있었다. 비정상적인 특정 욕구를 제외하면 모든 것이 정상일 환자들은 뭐라도 쥐여 달라고 호소했으며 감염자 가족들의 항의가 빗발치는 것은 당연한 수순이었다. 그렇게 감염자들의 처우를 위해 만들어진 것이 '인형 치료법'이었다. 감염자들의 욕구가 참을 수 없게 되었을 때 인형을 건네주고, 인형은 인간의 대역이 되어 욕구를 진정시키는 효과를 주는 방식이었다.

수연은 어제 게시판에서 떼어 온 종이를 손에 들고 팔락이며 고민했다.

격리 치료 센터에 공급할 수제 인형 작가 모집.

인형 작가라 함은 인형을 수제로 만드는 것이 업인 일이었다. 그런데 왜 감염자 격리 치료센터에서 인형 작가를 모집하는 건지 의문이었다. 인형만으로 감염자를 진정시킬 수 있다면 하물며 마네킹이어도, 공산품 곰 인형이어도 상관이 없는 게 아닌지. 실제로 언론에 공개된 치료 센터 사진엔 대량 생산된 각종 동물 인형이 있었다.

사실 수연은 당장 돈을 벌지 않아도 되었다. 수영과 함께 약 2년간 아무 직업 없이, 아낌없이 풍족하게 살아왔음에도 돈이 부족할까 걱정했던 적이 없었다. 가차 없이 얘기하자면 어머니도 죽었겠다, 유산을 나눌 필요도 없으니 불청객도 전무한 독신 생활을 즐기면 그만이었다. 보육원에서 살 적부터 가지고 있던 유일한 취미가 인형 만들기였다지만 굳이 일하지 않아도 평생 먹고살 만한 제 자산을 모르는 멍청이가 아니었다. 더군다나 수영과 수연이 도피를 결정했을 즈음이 특히나 감염자가 폭발적으로 발생했던 때이고, 그간 완치자가 점점 늘어나는 추세였다. 공포스러운 병이긴 했지만 감염자도 지금까지 알려진 전염병에 비하면 현저히 적었다. 오늘 하루 동안 초인종과 아파트 사이렌이 울리지 않은 것만으로도 3개월 전보다 상황이 많이 호전된 것을 알 수 있었다.

하지만 수연은 불안했다. 수연의 생각은 어머니와 달랐다. 돈이 있으면 어떻게든 살게 될 것이라는 건 재난이 들이닥치기 전 세상에서나 먹히는 말이라 여겼다. 화폐의 가치가 세계적으로 날뛸 때 필요한 건 돈의 액수가 아니라 정보와 인맥이었다. 병이 무섭다고 집 안에 갇혀서 쏟아지는 각종 언론에 휘둘리는 건 사양하고 싶었다. 적당히 사람들 속에 있되, 가장 핵심과 관련된 곳에 있어야 살아남기 위한 발빠른 대처를 할 수 있다. 대피소 중에서도 가장 안전한 대피소가 있는 법이다. 감염자 격리 치료 센터는 정부랑 연결되어 있으니 그곳에서 일하게 되는 것만으로도 전염병이 퍼진 이 세상에서 안전을 위한 최선의 노력을 하는 게 아닐까. 이대로면 연고 없이 혼자 사는 어린 여자애일 뿐이었다. 인형 작가 일은 수연에게 안성맞춤이었다.

자리에서 일어나 3개월 만에 다시 켠 티브이 속에선 결국 이 유례없는 사태도 역사 속 재난 중 하나가 되어 빠르게 없어질 거라고 말했다. 그렇다. 인간은 늘 그랬듯 최적의 해결 방안을 찾으려 애쓰고 있었다. 지금 도입된 처우도 사회가 일정 이상의 혼란을 겪지 않도록 효과적으로 돕고 있는 듯 보였다.

하지만 그녀에게 오두막으로 도피하기 전과, 오두막에

살 때, 그리고 다시 아파트로 돌아오고 나서도 변하지 않는 단 하나의 생각이 있었다. 손이 닿지 않는 높은 곳에는 분명 숨겨진 무언가가 있다는 것. 그렇지 않고서야 개개인의 미칠듯한 불안과 무관하게 이리도 세상이 잘 굴러가는 것처럼 보일 리가 없지 않나. 기사 속 살벌한 활자들과 뉴스 앵커가 말하는 차분하고 정돈된 말 한마디, 눈앞에 펼쳐진 평화로운 현실과의 괴리감.

하지만 그렇다 한들 수연이 알 방법은 없었고, 안다고 한들 할 수 있는 것도 없었다. 단지 일상 속에서 어떻게 최대한 정상적인 삶을 더 연장할 수 있을까 머리를 쥐어짤 수밖에는. 세상을 진짜 멸망시킬 생각은 없어 보이는 어중간한 재앙은 인간관계에 집착하게 만들고, 전과 다름없는 상식적인 삶을 영위하기 위해 발버둥 치게끔 만들었다. 절망적인 느낌이 들다가도 금방이라도 다시 일어날 수 있을 것만 같은 희망을 보여 주면서.

수연은 멍하니 뉴스를 보며 생각했다.

적어도 이 사태에 휩쓸려 어머니처럼 병으로 죽기는 싫어. 난 살아남을 거야.

03
신의 징벌 혹은 축복

수연은 점심밥을 사러 편의점에 다녀오는 길에 며칠 전 평화에게 받은 명함을 보고 문자를 남겼다. 그냥 밥 한 끼 같이 먹고 싶다고. 그런데 문 앞엔 이미 두툼한 실루엣이 찾아와 있었다. 엘리베이터 소리를 듣지 못했는지 애꿎은 현관문 외시경 렌즈에 눈을 한껏 들이밀고 있는 평화에게 말을 걸었다.

"일하실 시간 아닌가요?"

등 뒤에서 들려온 수연의 목소리에 반갑게 몸을 돌린 평화는 양손에 바리바리 온갖 식재료를 싸 들고 서 있었다.

"에이, 이게 제 일인데요."

도어 록을 열자마자 집주인을 밀치고 성큼성큼 집에 들

어온 평화는 주방에 장바구니를 내려놓았다.

평화는 명함을 준 지 단 하루 만에 연락을 받아 의기양양했다. 문자를 받았을 때 마침 약국에 손님이 아무도 없던 참이기도 했고, 몇 시간 더 자리 좀 지키면서 몇 푼 되지도 않는 돈을 벌 바에야 흥미로운 아가씨의 집에 가는 게 그녀를 더 두근거리게 했다. 역시 옆집 아가씨가 보기에는 경계심 많은 고양이 같아도 외로움 타는 어린양이 분명하다고 확신했다. 분명 굶주려 있을 터였다. 뱃속이든, 맘속이든 말이다.

당황한 수연은 경계하는 기색을 숨기지 못했지만 그렇다고 해서 바리바리 장을 봐 온 사람을 차마 내치지도 못했다. 평화는 자신의 행동을 문제 삼지 않았으며, 조금 무례해도 괜찮다고도 여겼다.

"제가 일하고 있었으면 어쩌려고요."

현관문을 닫은 수연은 자신이 손님인 양 쭈뼛대며 주방에 멀뚱히 서서 중얼거렸다.

"일터였으면 눈치 보여서 문자를 보냈겠어요?"

틀린 말은 아닌데, 뭔가 기분이 나빴다. 반박할 말도 없었지만.

"저는 준비한 게 없는데요. 배달이라도 시킬까요?"

들고 있던 편의점 도시락 봉투를 멋쩍게 구석에 내려놓으며 수연이 말했다.

"에헤이— 무슨 배달이에요. 이렇게 내가 왔는데! 앉아요, 앉아. 이럴 때 아니면 언제 집밥을 먹는다구."

아직 아무것도 말한 게 없는데, 평화는 마치 모든 것을 알고 있다는 듯이 너스레를 떨었다. 텅 빈 냉장고를 믿을 수 없다는 듯이 여러 차례 여닫다가, 그럴 줄 알았다며 고개를 설레설레 흔들었다. 냉장고엔 한참 동안 아무것도 담지 않았다는 걸 입증하듯 어떠한 냄새도 배어 있지 않았다. 평화는 처음이지만 익숙한 수연의 주방에서 능숙하게 요리를 시작했다. 수연은 언제까지고 멀뚱히 서 있기도 뭐해서 주방이 보이고 대화도 할 수 있는 거실의 소파에 살포시 앉았다.

요리를 하고 있는 평화는 관찰하기 쉬웠다. 빠른 손으로 끊김 없이 썰고, 굽고, 끓이는 그녀는 눈앞의 요리 말곤 안중에도 없어 보였다. 요리가 만들어 내는 소음이 순식간에 수연의 집에 녹아들었다. 그러곤 어머니가 떠오르는 냄새가 가득 퍼져 나갔다. 된장찌개 냄새에 수연은 습관대로 티브이를 켜지 않은 채 잠자코 요리를 기다렸다.

"어린 아가씨 입맛에 맞을지 모르겠네."

어느새 평화는 주방의 간이 식탁에 요리를 내려놓았다. 수연은 급하게 잊어버린 습관을 되새기며 수저와 물컵을 놓았다. 식탁엔 냄새로 미리 알 수 있었던 된장찌개가 중앙을 차지했고, 달걀을 씌운 햄부침과 집에서 싸 온 것처럼 보이는 고사리나물, 그리고 김치가 놓여 있었다. 지금 평화는 몹시 즐거웠다.

그 모습에 되레 수연은 여러 의미로 당혹스러울 수밖에 없었다. 고작 3개월이지만 아파트를 떠났던 만큼 적당히 동네가 돌아가는 모습도 파악하고, 적당히 친목을 다지며 몇 가지 의문점도 풀자, 라는 그야말로 '적당한' 의도로 보낸 문자였다. 하지만 평화는 몹시도 폐쇄적인 분위기인 이 시국에 과히 적극적인 태도로 호의를 보였다.

"들어요."

"감사히 잘 먹겠습니다."

요리한 본인은 한 술도 뜨지 않은 채, 수연이 모든 반찬을 한 번씩 맛볼 때까지 심사를 기다리는 요리사처럼 평화가 반짝이는 눈으로 바라봤다.

"참 맛있네요."

'참 잘했네요.'도 아니고. 수연은 '맛있다.'라고 끝내기엔 부담스러운 기대에 되지도 않는 평을 해 버렸다. 이러나저러나 평화는 잘 먹는 수연이 만족스러운지 씨익 크게 웃고는 자신도 수저를 들었다. 평화는 그 뒤에도 "음, 간이 잘됐네!"라는 말을 끝으로 열심히 식사할 뿐 별다른 말을 꺼내지 않았다. 수연은 그녀를 보고 단지 옆집이 궁금했던 건가, 싶었다가도 그냥 오지랖이 넓은 사람인 쪽으로 생각을 고쳤다. 그렇지 않고서야 문자 하나에 바로 집으로 쳐들어와서 한다는 게 직접 요리해 주는 것이라니. 식당에서 아르바이트할 적 어린애가 고생한다며 이것저것 반찬을 챙겨 준 아주머니들은 간혹 있었지만 이런 적은 또 처음이었다.

"부업으로 요리하세요?"

"푭."

평화는 입에 한가득 음식을 넣고 씹다가 밥풀 하나를 총알처럼 쏘아 수연의 미간으로 안착시켰다. 별일 아니라는 듯 이마의 밥풀을 떼어 살포시 식탁에 내려놓는 모습에 평화는 온몸을 부들거리며 웃음을 참아야 했다. 서둘러 입 안을 비우곤 한참을 속 시원히 호탕하게 웃다가 눈물까지 닦으며 말했다.

"아니, 아니지!! 푸흐, 그렇게 내 밥이 맛있어요?"

"그게 아니라 아까 '이게 내 일'이라고 말씀하셔서……."

"아아."

평화는 남아 있는 밥을 꾹꾹 눌러 한 수저에 담은 다음 크게 입을 벌려 밥그릇을 비워 냈다. 그러곤 밥그릇을 옆으로 밀고 팔짱을 껴 식탁에 내려놓으며 수연을 향해 몸을 기울였다. 이것이 평화가 대화하는 방식이었다.

역시 밥을 먹이면 경계가 풀어지지.

딱 봐도 수연은 이웃끼리 재미나게 지내자고 연락할 사람으로 보이지 않았다. 평화는 수연이 목적을 가지고 연락을 한 것을 알고 있었다. 하나 수연이 먼저 말을 꺼낼 때까지 아무것도 묻지 않고 있었다. 모든 건 여물어야 할 때까지 차분히 기다려야 하는 법.

집이라는 건, 굳이 일기장을 열어 보고 구석구석 살피지 않아도 많은 걸 보여 준다. 먼지가 쌓여 있는 현관과 가구 위, 마실 것만 있는 텅텅 빈 냉장고, 물건이 많지 않은데도 불구하고 두 세트씩 있는 식기. 대충 보아도 남자는 없는 집일 테고. 이런 점들만 미루어 보아도 평화는 어렵지 않게 수연의 상황을 유추해 낼 수 있었다. 똑같은 구조의 집일지언정 똑같은 집은 없다. 사람마다 다른 생활로 집 안에 배어 있는 향이 다르고 각종 역사의 흔적들이 남은 가구들이 있기 마련이다. 그들만의 추억이 담긴 소소한 물건들까지. 한날한시에 태어난 쌍둥이조차 각기 다른 사연을 가진 것과 같은 이치다. 하지만 수연의 집엔 과하도록 아무 향도 입혀져 있지 않았다. 평화는 이것이 기구한 사연의 방증임이 틀림없다고 판단했다.

수연은 접근하면 할수록 사람을 더욱 호기심에 빠져들게 하는 경향이 있었다. 예를 들어, 별다른 직업이 없는 것 같은데 이런 호화 아파트에 사는 것. 분명 둘이 살았던 집 같은데 가구를 제외하고는 별다른 물건이 없는 점. 아직 풀지도 않은 그녀의 커다란 배낭. 그리고 묘하게 어둡고 불안해 보이지만 삶의 의지는 꺾이지 않은 듯한 또렷한 눈빛. 각 요소 요소들이 평화의 흥미에 기름을 부었다. 분명 이런 사람에겐 재밌는 사연이 있다. 이런 호기심이야말로 평화를 흥분시켰다. 평화는 사연의 냄새를 귀신같이 맡고 명함을 건넸던 통찰력에 스스로 놀라며 기뻐했다.

"나는 약사이면서, 상담가예요."

평화는 가슴에 손을 얹고 성스러운 직업을 고백하듯 말했다.

기껏 밥까지 먹여 가며 경계를 풀어 놓고 속사정을 직설적으로 캐묻는 건 초짜나 하는 짓이었다. 쉽게 들을 수 없는 사연일수록 서두르면 안 되는 법. 이럴 땐, 자신의 이야길 먼저 조금씩 풀며 공감대를 쌓아야 한다.

"나는 원래 왜소하고 말랐었어요. 독신에, 가족도 없죠. 제 예상이지만 수연 씨도 다르지 않을 것 같군요."

계속 말해 보라는 수연의 태도에 아랑곳하지 않고 자신의 이야길 이어 나갔다.

"지킬 것도 없지만 지켜 줄 이도 없는, 외로운 생활이었죠. 그래서 약국에 들리는 사람들을 손님이 아닌 사람으로 대하기 시작했어요. 나야, 손님이라고 오는 게 죄다 아픈 사람들이니까. 그 사람들이라도 그냥 보내지 말고 돌봐 주고 싶다— 그런 마음으로 시작한 건데 언제부턴가 할머님은 반찬을 들고 오기도 하고, 젊은이가 영양제나 온갖 즙을 들고 오기도 했어요. 약사한테 영양제랑 즙이라니, 웃기죠? 몽땅 다 챙겨 먹느라 살이 좀 불었지만 나는 행복해요."

자신의 이야기에 취해 먼 곳을 바라보던 평화는 다시 수연과 눈을 맞추며 말했다.

"나는 여기 격리 치료 센터 앞에서 약국을 하면서 수많은 사람의 이야길 들어 왔어요. 그 경험으로 미루어보았을 때, 수연 씨는 광인병의 피해자예요. 맞죠?"

수연은 이번에도 대답하지 않았다.

"처음 봤을 때부터 예감했어요. 그리고 문자가 왔을 때 확신했죠. 내 도움이 필요하구나."

반응이 저조한 상대방에 평화는 조금 조급해졌다. 착각했을 리가 없는데.

계속 입을 닫고 상황을 보던 수연이 드디어 사연의 물꼬를 트기 시작했다.

"맞아요. 저는 광인병으로 어머니를 잃었어요."

평화의 얼굴 근육이 쪼그라들며 눈썹은 한껏 내려가고 금방이라도 눈물이 흐를 것 같았지만 눈빛엔 환희가 맴돌았다.

"많이 힘들었겠어요."

수연이 슬픈 표정을 얼굴에 띄웠다. 이미 평화는 수연의 사연에 몰입해 있었다.

"음 음, 어머니가 돌아가시고 본가로 돌아온 거로군요. 그래요. 잘 돌아왔어요."

"감사합니다. 사실 외지에서 일하다가 사망 소식을 듣고 돌아온 거라 이곳 돌아가는 사정을 잘 몰라요. 제가 있던 곳은 병에 대해서도 소식이 느려서, 이런 일이 있을 거라곤……"

한없이 빈틈 많은 거짓부렁이었지만 평화는 수연의 불행에 한껏 도취해 있었다.

이 얼마나 안타깝고 가여운 이야긴가!

이미 평화는 수연의 심리 상담가이자, 선생님이었다.

"광인병이라든지, 이 동네 사정이라면 내가 빠삭하게 잘 알아요. 얼마든지 궁금한 게 있으면 물어보도록 해요."

더는 밥을 먹을 분위기가 아니었다. 마치 모든 것이 이 순간을 위한 준비였던 것처럼 느껴질 정도였다. 수연의 앞엔 반 공기는 남은 밥이 기다렸지만 슬쩍 옆으로 밀어 냈다. 그녀 나름대로 대화에 온전히 임한다는 각오를 내비친 행동이었으나 평화에겐 대화에 방해되는 감질나도록 소심한 기색이 따로 없었다.

수연은 이웃이란 자고로 질 나쁜 진상만 아니면 되는 법이라 여겼다. 그렇다면 이번에야말로 가여운 어린애라는 걸 내세워 맘 편히 도움을 받아 보는 것도 나쁘지 않다고 생각했다. 이미 의심 많고 예민하게 구는 자신에게 조금 지쳐 있었다. 체력보다도 정신적인 피로가 쌓인 탓이었다. 하지만 타인에게 꺼려질 자신의 과거가 마음에 걸렸다.

"평화 씨는 제가 감염자일까 봐 무섭지 않나요?"

평화는 말도 안 되는 소릴 한다는 듯 크게 손을 휘저으며 말했다.

"무슨 소리예요! 전혀 두렵지 않아요. 내 약국에서 하루에도 몇 번씩 감염자들의 가족과 완치자들을 마주하는걸요. 걱정하덜 말아요. 나는 수연 씨와 함께 밥 먹고, 대화하고 하는 게 기쁨이에요."

"광인병과 관련된 사람들이 평화 씨 약국에 많이 가나 보죠?"

자신의 유능함이 증명될 기회가 드디어 왔다는 듯이 평화는 조금 우쭐한 표정이 되어 답했다.

"그럼요. 광인병이 나타나고부터 제 약국은 더 호황이에요. 아, 물론 팔리는 약이야 두통약 정돈데, 제 부업 때문에. 제게 상담을 받기 위해서 줄을 서야 할 정도죠."

약사가 약은 안 팔고 상담 영업이라니. 수연은 몸을 살짝 뒤로 물렸다.

"광인병에 걸린 사람들은 완치되고 크게 두 부류로 나뉘어요. 첫 번째는 다 낫고도 후유증으로 두통을 호소하는 사람."

"뉴스에선 후유증이 따로 없다던데요."

"그래요! 그런데 내가 보기에, 후유증은 분명히 있어요. 그렇지 않고서야 완치자들이 그렇게나 두통약만 골라 사 갈 리가 없지."

수연은 평화의 말에 고개를 끄덕였다.

"두 번째 케이스는 열병을 앓고 난 뒤인 양 몸이 가벼워지고, 다시금 청춘을 사는 것 같다는 거예요. 머리도 한창때처럼 맑아지고! 사실 사회인이라면 맨날 화도 참고 욕구 불만일 텐데 의문의 병으로 인해 강제로 폭발하게 되는 거잖아요? 광인병은 인간만이 가지고 있는 도덕이라는 거적때기를 버릴 수 있게 해 주는 신의 징벌이자 축복인 거예요. 그런 것을 보면 후유증의 정도는 업보에 따르는 것일지도 몰라요. 그동안 맘껏 분출해 온 자와 인내해 온 자. 그렇게 나뉘는 거죠."

수연은 신이니 업보니 하는 건 한 귀로 흘렸지만, 광인병이 인간의 거죽을 벗기고 본래 짐승의 모습으로 돌아가는 병이라는 것엔 동의했다. 사실 수연은 자신에게 피해만 주지 않는다면 그녀가 광인병을 우상화하는 사이비 종교인이든, 상담가 행세를 하며 자아도취해 있는 사람이든 상관없다고 생각했다. 평화는 자기만족으로 사람들을 도와주는 인물로 보였다. 그런 그녀가 아직은 밀어 내야 할 만큼 위협적으로 느껴지진 않았다. 무엇보다 이렇게까지 진행된 친목질에서 분위기를 싸하게 만들어 유일한 옆집과 불편하게 지내는 건 사양하고 싶었다.

그렇다 한들, 짚고 넘어가야 하는 건 있었지만.

"신은 참 가혹하네요. 축복이라고 하기엔 너무 많은 희생이 잇따랐는걸요."

평화는 말실수했다는 것을 뒤늦게 깨닫고는 다시금 팔을 휘적였다.

"아니, 내 말은 일부 운이 좋은 완치자들이 축복 같다는 거죠. 어머님의 일은 정말 유감이에요."

평화는 광인병이 신의 축복이란 말을 회수하진 않은 채 크흠, 크흠 괜히 목만 다시 가다듬을 뿐이었다.

"그래도 생각했던 것보다 빨리 진압이 된 것 같아 다행이에요. 그게 무엇이든, 피해가 극심한 건 사실이니까요."

"그건 그래요. 그도 그럴 게, 워낙 극단적인 증상을 보여서 다들 무서워했던 거지, 감염이 되면 꽤 즉각적으로 증상을 보이거든요. 그러니까 내가 보기에 수연 씨는 감염 걱정사서 안 해도 돼."

"그래요?"

"예! 알다시피 일단 감염이 되면, 참기 힘든 욕망이 일어난다고 하죠? 하지만 살인과 강간과 같은 비인륜적인 행위에 대한 거부감이 강한 사람은 이성이 남아 있을 때 자진 감염 의심 신고를 한다는 점에서 생각보다 피해의 수가 줄었어요."

"병의 증상이 정신력으로 제어가 가능하단 거예요?"

"뭐, 그렇다고 할 수 있겠죠. 초기에 일시적인 거겠지만요."

감염자 수가 줄었다고 뉴스에서 떠들어 대는데도 왜 여전히 사람들 간에 날이 서 있었는지 이제야 알 수 있었다. '정신력'이라는 말도 안 되는 기준이 내세워지면 싸움이 일어날 수밖에 없다. 답도 없는 논쟁이 계속되는 이유도 이것이겠고.

"그래도 진짜 감염자 수가 줄고 있는 건 맞겠죠? 하도 기사마다 말이 달라서, 여론 몰이는 아닌지……."

"그건 사실일 거예요. 이래 봬도 나, 의사는 아니라도 의료계 종사자 아니겠어요? 전례 없는 양상을 띠고 있을 뿐이지 실제로 빠르게 진압된 편이에요. 아무래도 1인 격리 시설이 필요하지만 일정 시간과 조건이 충족되면 완치가 된다는 점으로 어느 정도 커버가 됐죠. 또 아직 치료제나 백신도 없지만, 감염자들에게 전문 의료 행위가 필요하지 않다는 것도 혼란을 줄였고요. 그나마 외상 치료나 돌발 행동으로 인한 응급 수술이 증가했을 뿐이죠. 우리 약국에 두통약 수요량이 늘었다거나."

수연은 꽤 믿음직스럽게 현 상황을 브리핑하는 평화를 다시 보기 시작했지만, 평화는 자신만 줄줄 이야기를 늘어

놓고 있다는 걸 깨닫고 조금 흥이 죽은 듯 구불구불한 머리카락을 매만질 따름이었다.

"아, 제가 정신이 없었네요. 커피라도 드릴까요? 녹차도 있어요."

"녹차로 줘요."

평화의 앞에 마시기 힘들 정도로 뜨끈한 녹차를 내려놓으며, 수연은 가장 궁금했던 것을 물었다.

"치료 센터에서 인형 작가를 모집하던데요."

수연의 기대와 달리 목이 타들어 갈 것 같은 온도의 녹차를 평화는 후루룩하고 곧장 마시며 답했다.

"아, 그거요. 수연 씨가 어제 떼어 간 전단지 말이군요."

"네네. 제가 본가로 들어와서 당장 잘 곳은 있어도 직장이 없는지라…… 돈을 좀 벌어야 할 것 같아서요."

"알다마다요."

"왜 수제 인형 작가를 모집하는 건가요? 아, 지원하는 데 도움이 될까 해서요. 제가 알기론 공산품 인형을 공급하는 걸로 알고 있었거든요. 뭐, 특별한 기술을 요하는 인형이라도 원하는 것인지……"

이미 녹차도 다 마셔 버린 평화는 심드렁하게 대꾸했다.

"취향 고상하신 분들은 수제를 선호하니까요. 사람이 공들인 것에 찌를 맛이 더 나지 않겠어요? 뭘로 찌르는지는 그들 나름이겠지만, 수연 씨가 상상하는 데에 맡길게요. 창의성 있게 생각해 봐요."

수연의 머리에 각종 상상의 나래가 펼쳐졌다. 그러다 변태라도 본 것처럼 '불쾌하다'라는 표정을 지었다. 이유라고 해 봐야 유별난 사람들의 '싸구려는 인정할 수 없다!' 정도로 여겼건만. 작가 모집에 제출할 샘플에 고급 원단을 사용해야 할까 정도의 고민이나 하고 있었다.

평화는 '이런 순진한 사람을 보게.'라는 눈빛으로 수연을 바라보며 피식 웃었다.

"높으신 분들이 만든 법에 따르면 사람 인형을 쓰면 안 돼요. 마네킹이나, 사람의 형상을 한 인형 같은 거 말이죠. 정작 그분들은 진짜 사람을 두는 모양이지만."

"진짜 사람이요……?"

"들려 오는 말로는 그렇다네요. 근데 이건 확실친 않아요. 말하고 보니 이건 수연 씨의 취직에 그다지 도움이 될 정보는 아닌 것 같군요."

평화는 말을 하는 내내 담담했다. 수연은 그녀가 자신보다 나이를 배는 먹은 만큼 못 볼 꼴을 다 보고 산 연륜 때문인지, 그것마저 신의 징벌인지 축복인지와 관련이 되어 있다고 믿어서인지는 알 수 없었다.

"뭐, 항상 있던 관행 아니겠어요? 언제나 상황을 악용하는 사람은 있기 마련이고."

평화는 이야기를 끝낼 때가 되었다는 듯 자리에서 일어나 구겨진 옷을 정리했다. 그리고 돌아가기 전 수연의 손에 다시금 명함을 쥐여 줬다. 흰색 바탕의 약사 서평화의 명함이 아닌, 검은색 바탕의 상담가 마리아의 명함이었다.

"언제든 또 연락해요. 내가 들어 줄게."

04
비밀 유지

수연은 평화와 나눈 대화 탓에 꽤 망설였지만, 이력서와 샘플을 제출한다고 무조건 뽑히는 것도 아니니 일단 인형 작가 일에 도전해 보기로 마음먹었다. 어차피 그 외에 할 일도 없었고, 혼란 속에 무료하게 있는 건 마음만 불안하게 만들었다. 제출할 샘플로 오랜만에 만든 인형은 스스로 보기에도 꽤 만족스러웠다. 아주 부드럽고 고급스러운 원단에 묵직한 솜을 넣은 토끼 인형이었다. 지금까지 만들어 본 적 없는 가장 큰 사이즈의 값비싼 것이었다.

그럼에도 샘플이 단번에 통과되어 면접까지 오게 될 줄은 몰랐다. 나름대로 힘써서 만든 인형이었지만 그래도 다른 이에게 상품으로 인정받아 부름을 받는 건 의미가 남달랐다. 배곯을 적 간절하고 조급하게 아무 알바 면접을 볼 때와는 사뭇 다른 감각이었다.

수연의 집에서 5분 거리에 있는 성베드로 격리 치료 센터는 돈 많은 사람들이 산다는 이 동네에 걸맞은 곳이었다. 언뜻 보아도 고급스러운 자재로 지어진 고풍스러운 건물은 새하얗고 깔끔했다. 건물 주변에 쓰레기 하나 없이 깨끗한 그곳은 경건함마저 느껴질 정도였다. 더군다나 수연이 살던 아파트보다도 많은 수의 경비원이 그곳을 지키고 있어서 치료 센터라기보단 외국 대사관을 떠올리게 했다.

수연은 두근거리는 마음으로 면접에 임했다. 격리 치료 센터의 실장이라고 자신을 소개한 '김배준'이라는 사람이 홀로 면접을 진행했고, 예상과 달리 지극히 사적인 것들만을 물었다. 가족 친지가 아무도 없는지. 반려자 혹은 동거자 없이 혼자 살고 있는지. 정치관과 SNS 가입 여부, 외출 횟수 따위를 물었다. 인형 포트폴리오나 작가 경력에 관한 질문은 일절 없었다. 수연은 면접이 진행되면 될수록 수많은 샘플과 이력서 무리 중에서 왜 자신이 통과되어 면접까지 오게 됐는지 깨달을 수 있었다. 조금 설레 있던 수연이 푸시시 김이 새 버리는 건 어쩔 수 없는 일이었다.

심지어 일사천리로 면접 당일에 합격이라는 통보를 받

았다. 면접이 끝나고 약 5분간의 대기를 거친 뒤, 배준은 그녀를 구석의 작은 방으로 인도했다. 계약서를 건네 주곤 수연이 모든 사항을 읽을 때까지 잠자코 기다렸다. 앞에 앉아 있는 위협적인 거인과 온통 새하얘서 꺼림직한 서늘함마저 느껴지는 장소에도 불구하고 수연은 최선을 다해 계약서 속 빽빽한 글자를 읽으려 애썼다. 이상한 면접에 '여기까지 온 이상 넌 돌아갈 수 없다.'라는 분위기를 풍기는 것과 달리 계약서 내용엔 그다지 문제가 없어 보였다. 정확히는 자신에게 문제가 될 부분이 없었다. 사인을 하기 전, 힐끗 바라본 배준은 당연한 수순을 기다리는 사람처럼 턱을 치켜세우고 있었다. 역시나 수연이 계약서에 사인을 끝냈을 때, 배준은 입에 익은 대사를 뱉듯 단 하나만을 그녀에게 강조했다.

"비밀 유지만 지켜 주신다면 문제 될 건 아무것도 없을 겁니다. 모든 면에 있어서 말이죠."

제시된 페이는 넉넉한 수연의 사정에도 엄청난 액수였다. 더군다나 만족스러운 퀄리티로 지속적인 공급이 이루어진다면 섭섭지 않은 성과 보수까지. 전염병이 진정될 때까지 일하게 된다면 보안 사항 때문에 이름은 못 날릴지언정, 평범한 작가가 만져 볼 수 없는 돈을 가지게 될 액수였다.

기대와 달리 격리 치료 센터에 인형을 납품하게 된 지 2주나 지났지만 특별한 일은 없었다. 무얼 기대했던 건지. 인형 작가 일도 배준이 비밀 유지 사항을 들먹이며 잔뜩 겁을 준 것치곤 단순한 노가다성과 다름없었다. 그도 그럴 것이 가장 살벌하게 강조했던 보안에 관한 것은 수연에게 어려운 바가 아니었다.

일하는 동안 틀어 놓는 뉴스엔 여전히 수위 높은 사건들이 1시간을 꽉 채우고 있었다. 곧 혼란한 사태가 종식될 거라는 소식과, 빠르게 전염병이 진압될 거라던 평화의 말과 대비되는 일들이 몇 분 간격으로 브리핑되며 삽시에 지나갔다.

그에 비해 이 동네는 지나치게 조용했다. 수연은 광인병으로 시끄러운 티브이 속 세상이 꼭 다른 세계의 얘기인 것만 같다고 생각했다. 진짜 죽을지도 모르겠다 싶을 정도로 분명 이 동네에서도 우르르 사건·사고들이 터졌었는데, 인제 와서 오두막으로 도피하게 했던 혼란스러움이 없었던 일처럼 느껴질 정도였다. 새까맣게 선팅한 검은 차량에서 방호복을 입은 경찰들이 불쑥 나오는 걸 가끔 볼 때면 '지금 재난 아래 있긴 하구나.' 하고 새삼 깨달곤 했다. 이 동네 경찰차들은 사이렌도 울리지 않고 다녀서 더욱 조용했는데, 수연은 집값에 민감한 동네 주민들이 항의했나보다, 하고 여길 뿐이었다.

격리 치료 센터에서 5분 거리에 주거하는 수연은 택배로 보낼 것도 없이 바로 센터로 걸어가 새로운 인형을 건넸는데, 실장 배준은 일과 관련된 것들만 전달하고 자기 일을 하러 휙 뒤돌아 가 버리곤 했다. 그에겐 당연한 일이겠지만 수연은 나름대로 긴장했었던지라, 인형을 보는 배준의 심드렁한 태도를 접하곤 덩달아 센터 일에 심드렁해졌다.

격리 치료 센터를 자주 들락거리다 보니 평화와 자주 마주쳤다. 수연이 센터 바로 건너편에 통창으로 된 약국을 볼 때면 언제나 평화가 음흉한 눈빛으로 바라보고 있는 탓이었다. 평화는 집요하게 사연을 쫓아다니면서도 '자발적인 고백'에 집착하는 듯했다. 수연은 마치 그녀의 눈빛이 '매달리는 건 좋아해. 하지만 부디 재밌는 이야길 가져와 줘.'라고 말하는 것만 같아 매번 본능적으로 고개를 휙 하고 돌려 버렸다. 더욱 기구하고, 더더욱 극적인 이야길 원하는 그녀에게 매달일 일이 없길 바랐다.

다시 아파트로 돌아온 지도 꼬박 한 달이 지났다. 어머니가 유별나게 사 두고 쟁여 둔 물건들은 퍽 유용했다. 수연은 매일매일 어머니가 설치해 둔 삼중 잠금장치를 잠그고 생활했으며 팬트리의 식량은 이제 고작 한 구석이 비었을 뿐이었다. 한 번의 방화 자살 사건으로 전체적인 주민 대피가 있었지만 웅성거림조차 없는 고요한 대기 시간이 이어졌다. 긴급 상황에만 울리는 사이렌 소리였으나 모두가 더 이상 우왕좌왕하지 않았다. 수연도 잠시 가슴이 덜컥 내려앉으며 두근거렸다가, 습관처럼 빠르게 배낭을 챙겨 대피소로 향할 뿐이었다. 어떤 시끄러운 소동이 일어나도 주변은 금방 조용해졌다.

수연이 틀어 놓은 뉴스 속에선 고작 어제 일어난 사건을 다시 언급할 틈도 없이 실시간으로 일어나는 새로운 재난을 말했다. 어제, 그제 일어난 사건이 어떻게 수습이 됐는지 알 수 없었다. 화면엔 울고 다친 사람들이 끊임없이 비쳤다. 그럼에도 세상은 여전히 고요히 굴러가고 있었다.

아마추어에서 급작스럽게 프로 수준의 공급을 해야 했던 낮 생활은 잡생각을 할 겨를이 없었다. 대충 밝을 때 일어나 식사도 거른 채 바느질과 재봉을 하다 보면 금세 어두워지곤 했다. 그러다 거실 등을 켜기 위해 일어날 때면 '이렇게 일만 하고 있어도 되는 걸까?'라는 생각이 금세 머릿속을 비집고 들어왔다. 참 인간의 욕심은 끝이 없다고. 나름대로 좋아했던 일을 돈 받으며 하자니 남들이 말하던 자아실현이란 이런 것일까 싶었는데, 반면에 불안한 세계 속에서 느끼는 평화가 불쑥불쑥 불편하고 이질적으로 느껴졌다. 그 탓에 강박적으로 더 일에 몰두하고 있는 경향도 있었다. 할 일이 태산일 때나, 한가로울 때나 머릿속 빈 곳을 채우는 게 불안과 걱정이라니. 수연은 여유가 생겨서 그런 거라고 탓하며 다시 손을 움직였다.

문제는 밤에 찾아왔다. 드물게 새벽에 현관문을 긁는 쇳소리라도 나면 낮과 달리 온 신경이 곤두서고 잠을 설쳤다. 그러곤 혹시 모를 불청객에게 장애물 하나라도 더하기 위해 방문을 추가로 잠글 때면 그 밤은 죽은 어머니가 머릿속을 지배했다.

나는 방문을 잠그면서도 어머니가 두렵지 않았다.

어머니가 감염된들 내 무엇을 원할 거라 생각지 않았다.

어머니는 내가 무서웠을까.

어머니는 방문을 걸어 잠그면서 무슨 생각을 했을까.

내가 거실에서 물이라도 마실 때, 새벽에 화장실에 갈 때면 어머닌, 지금의 나처럼 베개 밑에 숨겨 둔 칼을 쥐고 혹시 모를 일을 기다렸을까.

여느 때와 같이 일요일에 인형을 들고 센터에 방문했다. 그날은 웬일인지 배준이 "수고하셨습니다." 외의 말을 덧붙였다. 그녀의 인형이 센터 감염자들 사이에서 유달리 반응이 좋다고 했다. 배준의 성정을 생각하면 꽤 발전된 대화였다. 센터 내에서 불리는 수연의 작가명은 토끼를 뜻하는 '라핀'인데, 들어 보니 작가를 지정해서 인형을 넣어 달라고 하는 경우가 심심치 않게 있었다.

무슨 접대 지정도 아니고, 수연은 기꺼워해야 할지 말아야 할지 기분이 좀 묘해졌다. 그의 말을 듣다 보니 불현듯 자신이 만든 인형이 어떻게 쓰이고 있는지 궁금해졌다.

"혹시 인형이 공급되는 모습을 저도 볼 수 있을까요?"

배준은 첫인상과 달리 조금 유한 표정을 보이다가 갑작스러운 그녀의 질문에 언제 그랬냐는 듯 한껏 인상을 찌푸렸다.

"선을 넘어선 안 된다고 말씀드렸을 텐데요."

성베드로 격리 치료 센터 실장이라는 직함보단 보안대장이라는 이름이 어울리는 외향의 그는 꽤 위협적이었다. 족히 190은 넘을 듯한 키와 항상 팔자로 찌푸려진 눈썹만으로 누구도 그를 함부로 대하지 못했다.

"알죠, 알죠. 그냥 항상 열심히 만들면서도 실감이 나질 않아서요. 제 인형이 감염자한테 도움이 되고 있다는 것도 그렇고. 그래도 실장님 말을 들으니 더 좋은 인형을 납품해야겠다는 생각은 드네요."

수연은 조금 사이가 멀어진 그의 눈썹 사이를 놓치지 않고 시무룩한 기색을 숨기지 않은 채 말했다.

하지만 배준은 감염자들이 있는 센터 2층 이상의 출입에 회의적이었다.

"수연 씨도 엄연한 관계자이시니 불가능한 것은 아닙니다만, 기대하시는 풍경이 아닐 겁니다."

배준의 말과 달리 수연은 이미 어영부영 계약서에 사인한 시점부터 달리 더 무서운 게 있을까 싶었다. 딱히 기대하는 무언가가 있는 것도 아니고 간절한 것도 없었지만 처음 얻게 된 번듯한 직장의 특전 정도는 누려도 괜찮지 않겠냐는 생각이 들었을 뿐이었다. 인형 보급을 하는 1층 뒷문만 왔다 갔다 하기엔 자신의 노동이 부질없게 느껴지던 참이었다. 실감이 나지도 않는 소비자를 위해 계속해서 인형을 만들어 내는 일은 사실상 작가라기보단 공장 일에 가까웠다.

"알아요. 굳이 말하지 않으셔도 저도 알 만큼 알고 있어요. 그 점은 걱정하지 않으셔도 돼요."

"순간의 치기로 말씀하시는 거라면 그만두세요. 적어도 다시 한번 생각해 보아야 할 겁니다."

배준은 위험한 분위기를 내뿜으며 그녀를 향해 몸을 기울였다. 그와 그녀 사이에 인형이 담긴 상자가 놓여 있었지만, 몸집이 큰 그에겐 상체를 숙이는 것만으로 별것 아닌 거리였다.

"당신이 고작 2층으로 올라가 감염자의 얼굴을 보게 된 순간, 당신은 평생 입을 무겁게 다녀야 할 겁니다."

"아시잖아요. 전 입을 열 상대도 없는 사람인 거."

순전히 변덕이자 호기심이었다. 불안과 무료함만이 가득 찬 일상 속에서, 불쑥 올라온 치기. 살아남고자 발버둥 치며 오두막에서 아파트로 전전해 놓곤 덮어진 위협과 찰나의 고요함에 잊어버린 초식 동물의 본능. 지금껏 그러했듯 아무도 작은 여자아이의 존재 따위를 신경 쓰지 않을 거라는 근거 없는 자신감.

배준은 키를 낮춰 수연의 눈을 가만히 바라보더니 비소를 띠며 상체를 일으켰다.

"내일 아침 10시. 뒷문 말고 1층 로비에서 뵙죠."

위협까지 해 가며 수연의 안위를 걱정하던 게 거짓말인 것처럼 조금 기쁜 기색까지 보이며 출입을 허락했다. 하지만 수연이 찝찝함을 느낄 새도 없이 배준은 둘 사이에 있는 인형 상자를 번쩍 들고는 안으로 들어가 버렸다.

그날 아침은 유독 살이 에이는 듯한 추위가 찾아온 날이었다.

포근한 이불 속에서 잠을 깬 수연은 '벌써 겨울이 찾아오려 하나.' 외엔 달리 감흥이 없었다. 솜으로 누벼진 보드라운 라운지 웨어를 걸치며 일어나자마자 커피를 내려 마셨고, 팬트리에 있는 공산품 빵 하나를 집어 먹으며 이런 시국에도 꼬박꼬박 배달 오는 신문을 가져다 읽었다. 여느 때와 같은 루틴이었지만 그날만은 식사 후 바느질하는 대신 센터에 갈 때만 입던 스웨이드 정장을 입었다. 구불구불한 긴 머리를 단정히 올려 묶고, 흰색 마스크와 검은색 단화를 신었다. 누가 보아도 눈에 띄지 않는 단정한 차림새가 수연이 준비한 유일한 대비였다.

엘리베이터를 기다리는데 평화가 때마침 출근하는지 집에서 나와 마주쳤다. 적대할 생각은 아닌지라 가볍게 인사했다. 평화도 뜻밖의 마주침에 수연을 위아래로 훑으며 말했다.

“오늘 일 가는 날 아니지 않나?”

이럴 땐 평화와 옆집인 것이, 직장이 바로 건너편 사이인 것이 성가셨다.

“추가 근무가 좀 있어서요.”

“인형도 안 들고?”

“가방 안에 있어요.”

“특별 사이즈인가 보네. 감염자분들 취향이란 알다가도 모르겠어?”

평화는 수연이 맨 작은 핸드백을 힐끔 바라보곤 빈정거렸다.

본의 아니게 가는 길이 같은 둘은 엘리베이터에 내리고서도 5분은 함께 걸어야 했다. 광인병 탓에 등교하는 학생들도 출근하는 사람도 줄어든 거리는 숨 막히게 조용했다. 하지만 어쩐 일인지 평화는 더 이상 말을 걸지 않고 자신의 약국으로 향했다.

수연이 센터 1층 로비로 들어가자 시간 맞춰 도착했음에도 배준은 그녀보다 먼저 기다리고 있었다.

배준을 따라 온몸을 소독하고 입성하게 된 센터 2층은 일반 병동과는 전혀 다른 구조로 이루어져 있었다. 복도 형태로 된 소독실을 지나 이어진 방으로 들어가자 수많은 모니터가 벽 한 면을 채운 채 감염자들의 실시간 모습을 비추고 있었다. 그곳은 카메라를 통해 모든 층을 조망할 수 있는 중앙 관리실이었다. 수연은 1인 격리실이 연달아 있는 모습 정도를 예상했다가, 역시, 높으신 분들이 엄청난 기부금을 내고 들어온다는 성베드로 치료 센터의 격리실은 남다르다며 속으로 감탄했다. 카메라가 곳곳에 배치되어 감시한다는 점만 제외하면 그녀가 사는 고급 아파트와 크게 달라 보이지 않았다. 관리실 통창으로 직접 볼 수 있는 2층만 해도 고작 두 개의 방밖에 없었고 심지어 화면으로 보이는 가장 맨 꼭대기 층은 무려 하나의 격리실만 있는 듯했다. 언뜻 보아선 리얼 관찰 예능의 한 장면 같은 호화스럽고 넓은 공간은 병동이라기보다 호텔에 가까웠다. 다만 고급스러운 침대와 소파, 테이블 어느 것 하나도 온전한 게 없다는 것과, 각 방문에 철로 된 작은 창이 하나씩 나 있다는 점이 이곳이 '격리실'이라는 걸 다시금 되뇌게 했다.

"보고 싶다곤 했지만, 이런 식으로 보아도 되는 건가요?"

"왜요, 이제야 겁나십니까?"

"아니…… 인권 문제를 묻는 건데요."

배준은 피식 웃더니 묻는데 답은 않고 자기 할 말만 했다.

"저는 제 할 일을 하러 갈 겁니다. 이수연 씨가 보고 싶다고 한 인형 공급 말이에요. 모든 층을 돌고 오는데 30분 정도 걸릴 겁니다. 그때까지 여기서 한 발자국도 나오시면 안 됩니다."

그는 친절히 의자를 수연에게 내어 주고 방을 나가기 전 중얼거렸다.

"저는 분명 재차 물었습니다."

그의 목소린 어쩐지 좀 가라앉아 있었다.

화질이 좋지 않은 관리실 모니터를 통해 보아도 감염자들의 얼굴은 하나같이 익숙했지만, 누군지 이름까지 기억나진 않았다. 온종일 뉴스를 틀어 놓는 수연이었으나 연예인들의 이름을 외진 않았다. 정치인이든, 연예인이든 둘 중 하나이겠거니 예상할 뿐이었다.

1호실 앞에 배준이 토끼 인형을 들고 도착해 있었다. 조금 전과 달리 온몸을 덮는 흰색 비닐 방호복을 입고 있었지만, 저 큰 키는 배준이 틀림없었다. 그는 열리는 작은 창을 통해 수연이 만든 인형을 전달했다. 2호실엔 그녀의 것이 아닌 다른 인형을 건네주고 배준은 화면 밖으로 사라졌다.

환자들은 하나같이 인형을 찢어발기고 욕설을 날리며 성기를 빠르게 비볐다. 보급된 지 5분이 채 되지 않은 1호실의 '라핀' 인형은 더 이상 누구의 작품인지 알 수 없었다. 하지만 이쯤은 충분히 상상 가능한 정도였기에 자신의 인형이 그런 용도로 쓰이고 있는 것도 그다지 충격적이지 못했다. 그럼에도 눈살이 찌푸려지긴 했다. 수연은 미간이 깊게 파인 채로 부러 인형의 쓰임에만 집중했다. '아, 저기엔 다음부터 장식을 달지 말아야지, 레이스를 거추장스러워하는구나' 따위의 생각을 하고 있었다.

그런데 눈길을 빼앗은 것은 다름 아닌 관리실 반대쪽으로 들어와 선 젊은 남성이었다. 그는 배준이 3층으로 올라갔을 때, 뒷문과 이어진 비상문으로 방호복도 없이 더듬더듬 1호실로 향하더니 대뜸 상의를 벗었다. 눈이 잘 보이지 않는지 발걸음과 손짓 하나하나가 조심스러웠지만 망설임은 없었다. 너무나 자연스러운 흐름. 그는 반라의 모습이 되어 가만히 눈을 감고 다소곳이 1호실의 문 앞에 섰다. 분노와 성욕이 찬 1호실 감염자와 완벽히 대비되는 남성은 홀로 고요했다. 고요하지 않을 그곳에서. 경멸, 우월감, 환희, 성욕으로 번들거리는 섬뜩한 눈들이 남성을 향해 모였다.

그들은 모두 남성을 바라고 있었다. 남성을 눈앞에 둔 1

호실 감염자는 문 하나를 사이에 두고 이미 너덜너덜해진 인형으로 유사 성행위를 했으며, 2호실 감염자는 얼른 제 차례가 오길 기다린다는 듯 침을 삼키며 음부에 손을 가져가 대기시켰다. 그러곤 잠시도 참기 힘들다는 양 인형과 식사가 보급될 작은 창 사이로 팔을 휘적이다, 두꺼운 철문을 부숴 버리겠다는 기세로 온몸에 부닥쳤고 남성이 눈앞에 다가오길 재촉했다.

그렇게 맨살갗을 보인 채 감염자들의 앞에 선 그는 2호실 앞까지 차례대로 머물다가 다시 옷을 주워 입고 비상구로 나갔다.

수연은 얼굴이 벌게진 채로 그가 나간 문을 멍하니 바라봤다. 혼란스러웠다. 이곳, 치료 센터는 나라에서 짓고 관리하는, 특히나 VIP 취급받는 사람들이 격리 치료되고 있는 장소였다. 이 치료 센터에 수연은 직원으로서 인형을 공급했고 뒷문으로나마 잠깐씩 마주하는 단 한 명의 직원 배준은 긴 대화를 나누지 않아도 믿음직스러웠다. 그는 철저하고 딱딱한 성정인 만큼 감염의 위험은 도달하지 않는 선에서 이 시국의 숨겨진 비밀을 구경시켜 주리라, 그렇게 믿었다. 돈에 쫓기지 않는 생활에, 취미 같은 직업을 가지고, 일반적인 사람들처럼 낮을 바쁘게 지내며 심심해진 일상에 작은 자극을 찾아온 것뿐이었다.

영화나 드라마에서 숱하게 나오던 헐벗은 스트립쇼나 룸살롱 장면이 허구라고 생각한 적은 없었다. 그다지 자극적이지도 않을 장면이었다. 항상 그냥 그러려니 하며 넘겼다. 옷을 벗은 사람들을 유심히 볼 생각은 해 본 적도 없었다. 그런데 유리 벽 너머로 목도한 이 광경에 수연의 심장이 튀어나올 것처럼 두근두근 뛰었다.

수연은 배준이 이 모습을 제게 보여 준 까닭을 알 수 없었다. 보고 싶다고 한 건 자신이지만 이건, 외부인에게 보여줄 수 있는 광경이 아니었다. 내부인과 외부인 사이에 있는 제게 이런 기회를 줄 이유는 사실 그에게 없었을 터였다. 손쉽게 가능하기에, 가볍게 생각했다. 만일 입이라도 잘못 놀린다면 자신은 물론이고 배준도 위험해질 터였다. 그런데 왜.

남성이 사라진 지 얼마 지나지 않아 방호복을 벗은 배준이 관리실로 들어왔다.

"당신 뭐야?!"

수연이 배준에게 소리쳤다. 그는 30분 전과 달리 수척해 보였지만 어쩐지 눈빛엔 기쁨이 맴돌았다.

"아, 봤나? 오늘이 그러고 보니 월요일이었군. 유감입니다."

"'아, 봤나?'라고 했어, 당신? 인제 와서 모르는 척하지 마. 지금 뭐 하자는 거야?"

배준의 팔자 눈썹은 그때만큼은 편안히 누워 있었다. 후련해 보이기까지 하는 그는 수연과 달리 혼자 느긋했다.

"그는 '월요일'입니다. 몸 좋은 남성을 보며 인형을 찌르면 욕망을 해소하는 데 도움이 된다고 차출되는 살인 강간 대역 같은 거죠."

"너, 너 지금 자기가 뭘 하고 있는지 자각은 하고 있어?!"

격하게 튀어나온 반말에 그는 어깨를 으쓱하곤 푸흐 웃으며 말했다.

"하고 있지. 지독하게 자각하고 있어."

덩달아 말을 놓은 배준에게 전 같은 철두철미함은 어디에도 보이지 않았다.

"어때? 당신이 보고 싶다고 했어. 난 말렸고. 틀렸나?"

그는 당시를 재현하듯 큰 키를 기울여 수연의 눈을 마주보며 말했다. 시간이 없었다. 가깝게 다가온 그의 몸을 거칠게 밀치곤 수연은 관리실을 뛰쳐나갔다.

그녀는 알 수 없었다. 왜 자신이 비상구로 있는 힘껏 달리고 있는지.

05
검은 말

고작 한 층인 계단이 한없이 길게 느껴졌다. 거의 날듯이 두세 칸씩 내려온 탓에 무릎과 발바닥이 찌릿했다. 숨차도록 달렸다.

벌컥 1층 뒷문을 열었을 때 그는 문 옆에 쪼그려 앉아 담배를 태우고 있었다. 윤기 나는 검은 피부에 새까만 긴 머리를 올려 묶은 그는 갑작스레 열린 문에 놀란 듯 흠칫 몸을 떨었다. 2층에서 모습과 달리 그는 구깃구깃하지만 깨끗한 흰색 셔츠와 긴 청바지로 몸을 가리고 있었다. 그럼에도 가려지지 않는 그의 정갈한 근육은 잘 관리된 검은 말을 연상시켰다.

그는 헉헉대는 소릴 내며 빤히 자신을 보고 있는 수연을 향해 고개를 돌렸다.

"뭡니까?"

수연은 무작정 그를 따라왔지만 혼란스러운 머릿속이 아직 정리되지 않은 채 뒤죽박죽이었다.

"이름, 이름이 뭐예요?"

그녀는 과거의 자신을 때릴 수만 있다면 입도 뻥긋 못하게 때리고 싶다고 생각했다.

"지연우라고 합니다만. 누구십니까?"

"지연우……."

멍청히 이름을 중얼거리고 있을 때 그가 눈을 찡그리며 집중하듯 수연의 명치 부근을 보더니 한껏 얼굴을 구기며 말했다.

"여기 직원이십니까?"

"아, 아뇨. 아, 맞긴 한데, 아니기도 해요."

이때의 자신을 두 번째로 때릴 거라 다짐했다.

연우의 얼굴은 어처구니가 없다는 표정으로 바뀌었다.

"저, 전 이수연이라고 합니다."

"아, 예. 할 말이라도 있으십니까? 오늘 일은 끝났는데요."

표정이 바뀜에 따라 주름지는 연우의 윤기 나는 검은 피부는 사람의 가죽이라기엔 구겨진 비단결 같았다. 그래서인지 수연은 자신도 모르게 흰 셔츠로 가려지지 않은 그의 살갗에 눈이 갔다. 의도치 않게 반라의 모습도 봤지만 가까이에서 바라본 그의 얼굴과 몸은 그야말로 명마를 떠올리게 했다. 수연은 그래서 그들이 이 사람을 원했던 걸까, 생각했다.

"그 일. 왜 하시는 거예요?"

이 얼마나 무신경한 질문인지. 처음 보는 사람의 무례한 질문에 그는 체념한 듯 한숨을 내쉬었다.

"돈 준다니까 하는 거지. 가만히 서 있기만 해도 돈이 벌린다니 최적의 일이잖아요. 센터 신입이신가 보죠?"

"걔네들이 무슨 생각으로 당신을 뽑아서 세워 놓는지는 아나요?"

"알지. 그렇지만 상관없어요. 저들이 나를 바라보는 눈을 제가 볼 일은 없으니까."

"보지 못한다고 해서 느끼지 못하는 건 아니잖아요."

그는 담뱃재를 수연이 서 있는 반대편에 털면서 가볍게 웃었다. 연우는 들고 있는 담배가 다 탈 때까지 일어날 생각이 없어 보였다. 실례되는 말만 하는 수연이 자신의 옆에 앉는데도 오래간만에 대화하게 된 공원의 노인네처럼 껄껄 웃을 뿐이었다.

"세상을 온전히 볼 수 없다 한들, 나는 충분해요. 당신과 달리 제 눈은 어느 정도 선까진 세상을 아름답게 보게 해 주기도 하거든요. 그러니 동정하려는 거면 그만두세요. 어차피 다른 세계에 사는 당신과 나는 말이 안 통할 테니."

맞다. 그의 말대로 수연은 다른 세계에 살고 있었다. 일시적으로 값이 떨어졌다지만 고급 아파트를 소유하고 있고, 옷도 먹을 것도 필요하면 주저 없이 구매했다. 광인병의 감염은 여전히 무서우나 센터와 관련이 된 이상 어떻게든 좋은 격리 시설의 방을 받아 무난히 치료받지 않을까 하는 생각을 한 적도 있었다. 위험에 빠진들 소리라도 지르면 옆집의 오지랖 넓은 아줌마가 퉁명스러운 나라도 툴툴대며 도와줄 거란 이기적인 생각마저 했다.

하지만 사람들의 시선과 자존심 따위보다 손님이 바닥에 뿌린 만 원짜리를 줍는 게 더 급한 굶주린 상황을 알았다. 편의점에서 배를 채울 삼각김밥 하나보다 맛있고 비싼 담배 한 갑이 간절한 심정도 알고 있었다. 돈이 수중에 들어오길 기다리는 것보다 산에서 나물이라도 뽑아 오는 게 나은 빌어먹을 좌절감을 안다. 살아남기 위해 존엄을 가장 먼저 버리게 되는 거지같은 상황을, 수연은 알고 있었다.

또래로 보이는 그를. 기억하고 싶지 않아 묻어 두었던 과거의 자신을 떠올리게 하는 그를 모른 척하기 힘들었다.

하나, 연우의 기다란 손가락에 짧아진 담배가 아슬아슬하게 잡힐 때까지 수연은 아무 말도 할 수 없었다. 담배가 타들어 가는 소리만이 둘 사이를 채웠고, 수연은 그가 내뱉는 자욱한 연기가 둘 사이를 채워 다행이라 생각했다.

얼마나 지났을까. 그는 담뱃불을 짓이기며 일어났다. 엉덩이를 털며 옆에 세워둔 지팡이를 잡았을 때 수연은 그의 옷깃을 붙잡았다.

"그 일을 그만둘 순 없나요?"

수연은 옷자락을 붙잡고 고개를 숙인 채 물었다.

연우는 센터 직원인 그녀가 왜 자신을 붙잡으면서까지 이러는지 알 수 없었다. 이 일밖에 할 수 없음을 이해하지 못하는 것도 아닐 터였다. 하지만 흐릿한 눈으로도 느껴지는 그녀의 알 수 없는 다급함과 초조함이 뿌리치지 못하게 만들었다. 지금껏 책임지지 못할 동정심과 호기심으로 이런 질문을 거리낌 없이 해 오는 사람들을 많이 마주했다. 짜증도 섣불리 내어선 안 되기에 보통은 실없이 웃으며 얼버무렸었건만, 어쩐지 그녀의 질문엔 답하고 말았다.

"광인병이 사라질 때까지 앞으로 1년, 2년? 어떤 언론에선 5년이라더군요. 그때까진 어쩔 수 없죠. 일단 살아남아야 하지 않겠어요? 굶어 죽긴 싫거든요."

목소리로 보아 젊은 신입인 것 같은데 불황인 시국에 사전 정보 없이 아무 데나 취직했나 보다고 연우는 짐작했다. 혼란스러울 그녀에게 거칠게 대하고 싶지는 않았지만, 붙잡으면서까지 대화를 몰아붙이는 수연을 좋게 보기는 힘들었다.

"돈이라도 던져 줄 게 아니라면 더는 이런 대화, 하고 싶지 않네요."

"그럼 돈을 준다면 그 일을 그만둘 수 있나요?"

"아뇨. 제겐 집도, 입을 옷도, 먹을 것도 없어서 푼돈 가지곤 그만둘 수 없는데요."

"그럼 우리 집으로 와요. 옷도 먹을 것도 있어요."

연우는 항상 어떻게든 건조해지려 노력했다. 그래야만 살아갈 수 있었다. 그런데 이렇게까지 화를 돋우는 사람도 오랜만이었다.

"당신이 그렇게 돈이 많아요?"

"나 혼자 평생 일 안 하고 살 정돈 있어요. 근데 지금 일도 하고 있으니까, 당신 반평생 인생 정도는 책임질 수 있어요."

책임지는 동정심을 주는 사람은 또 처음이었다. 반찬 몇 가지나 안 입는 옷가지를 챙겨 주는 사람도 있었고 운이 좋으면 방세를 미룰 수 있게 해 주는 집주인은 봤어도 다 큰 성인 남자를 본인이 책임지겠다는 여자라니.

화가 난 듯한 연우는 왜소한 체격의 수연에게 위협적으로 느껴졌다. 그런데도 수연은 도저히 그를 이대로 보낼 수 없었다. 그녀는 당장 어머니의 방식밖에 떠오르지 않았다. 절망스러운 어둠 속에서 자신을 건져 올려 준 것은 상냥함이 아니라 어머니의 집과, 돈이었다.

"아시다시피 제가 눈이 잘 안 보이는데. 날 알아요?"

"아뇨. 오늘 처음 봤어요."

"아닐 거라고 생각하지만……. 나한테 반한 거예요?"

"아닌데요."

"그럼 몸을 원한다거나……."

"제가 저기 안에 있는 사람들처럼 감염되지 않는 이상 연우 씨의 허락 없이 몸에 손댈 일은 없을 것 같네요."

"감염자면 만진단 소린가요?"

"장담할 순 없죠. 하지만 그쪽이 감염 위험은 더 많지 않나요? 같이 살게 되면 제 쪽을 생각해서라도 일은 그만두셨으면 좋겠네요."

어느샌가 입장이 뒤바뀌어 있었다. 연우는 아무리 생각해도 이 앞의 여자가 장기 매매라든지, 성매매, 혹은 새우잡이 배에 자신을 넘기려 하는 사람 같지는 않았다. 그래서 더욱 의문으로 가득 찼다.

수연은 이제야 놀란 가슴과 벅찬 호흡이 진정되어 연우가 질문을 하는 족족 곧잘 대답했다.

"당신, 불쌍해 보이면 원래 아무한테나 그런 말 흘리고 다니십니까?"

"그쪽이 처음입니다."

연우는 수연의 대답에 피식 웃으며 다시 그녀 옆에 풀썩 앉았다.

"나, 지금 초면에 이런 소릴 들을 정도로 내가 그렇게나 불쌍한 놈인가 따지고 있는 거 알아요?"

"불쌍해서 제안했느냐 묻는 거라면……. 글쎄요. 맞다고도 아니라고도 못 하겠네요. 동정하기엔 난 당신에 대해 아는 바가 없으니까요."

"그럼 무시해요."

"무시하기엔 불편하지. 내가 직원으로 속한 센터에서 그런 방식으로 일하는 당신을 눈앞에서 봤는데."

"흠……."

연우는 벽에 기대 담배 한 대를 더 꺼내 들어 불을 붙였다. 그리고 가만히 눈을 감고 연기만을 내뿜었다. 연우는 상대의 표정을 잘 볼 수 없었다. 얼굴의 인상조차 볼 수 없는 그는 시각을 제외한 오감의 나머지 부분들로 단지 감각했다. 그가 느끼는 그녀는 불안하지만 곧고, 무례하지만 불쾌하진 않았다.

"담배 한 대 가지고 결정될 이야기가 아니네요. 하지만 혹하지 않는다면 거짓말이겠죠."

"그러면……."

"내 여동생이 다른 치료 시설에 있어요. 동생도 당신 돈으로 꺼내와 줘요. 그럼 진짜 정의의 사도로 인정해 줄게요. 나 혼자 갈 순 없어."

조건이 무엇이든 긍정의 대답을 들은 수연은 기쁜 얼굴로 벌떡 일어나 그를 향해 손을 내밀었다.

"확실히 담배 한 대로 끝날 얘기는 아니군요. 돈으로 가능한 일이라면 최선을 다해 돕죠."

연우는 못 말리겠다는 표정으로 수연의 손을 잡고 몸을 일으켰다. 그녀의 표정은 왠지 선명하게 보이는 듯했다.

"지금은 센터에서 운영하는 기숙사 개념의 숙소에서 생활하고 있어요. 뭐…… 말이 그렇지 바글바글하게 밀집된 고

시원 같은 곳이죠. 일단 미래의 룸메이트를 위해서라도 건강 문제가 있어서 잠시 일은 쉰다고 하겠습니다."

"네, 그렇게 하세요."

악수하듯 계속 손을 잡고 있던 둘은 막상 서로가 할 말을 끝내자 멋쩍게 거리를 뒀다. 거리낌 없이 대화하던 것이 무색하게 서먹해진 분위기에 연우는 숙소로 돌아가기 위해 몸을 돌렸다.

"……그럼 내일 오전 10시에 다시 여기서 뵙도록 하죠."

이만 다음을 기약하자는 연우의 입에서 입김이 쏟아져 나왔다. 수연은 그제야 유달리 추운 날에 그가 흰 셔츠만 달랑 입고 있었다는 걸 깨달았다.

수연은 다시금 돌아선 그의 옷자락을 잡을 수밖에 없었다. 그가 이런 날, 하필 셔츠 한 장만 걸치고 입김인지 담배 연긴지 모를 흰 연기만 푹푹 내 쉬고 있는 탓이라고 생각하면서.

"오늘은 밥이라도 먹고 가요."

"실례하겠습니다."

딱 점심때였다. 수연은 연우를 불러 놓고 또 대접할 만한 것이 없다는 걸 깨달았다. 평화에 이어 두 번째였다. 그땐 평화가 불쑥 들이닥칠지 몰랐다지만 이번엔 좀 난감했다.

"……뭐 먹을래요? 좋아하는 음식 말해 주면 그걸로 시킬게요."

자연스럽게 넘겼다고 생각했는데 연우는 능청스럽게 행동하려는 그녀를 알아챘다. 하지만 의도에 맞춰 넘어가 주기로 했다.

"피자 좋아해요. 먹은 지 오래됐네."

"알겠어요. 종류나 브랜드는?"

"아무거나 잘 먹습니다."

수연이 주문을 하는 동안 연우는 집 안을 가만히 둘러봤다. 수연의 집은 물건도 장식도 그다지 없었다. 가구도 어느 누구의 취향도 반영되지 않은 흰색투성이에 일로 추가된 인형 자재와 바느질 도구들로 너저분함까지 더해진 집은 넓은 데 비해 근사한 것과는 거리가 멀었다. 하지만 연우는 잘 보이지 않아도 햇볕이 잘 들어오고 따뜻한 분위기의 집이라 생각했다.

"좋네요, 집. 따뜻해 보이고."

"난방 잘되는 편이에요."

"아니, 분위기가."

"그래요? 난 잘 모르겠는데."

수연은 손님을 초대했으니 뭐라도 더 대접해야겠다는 생각에 팬트리에 있는 어머니, 수영이 모아둔 와인 병들을 한 아름 들고 왔다.

"술은 좀 해요?"

"좀 하는 편입니다."

뽕!

수연은 지체 없이 가장 비싸 보이는 와인을 따서 연우에게 건넸다.

"허, 이 한 병이 제 잔인가요?"

"유감이지만 와인 잔이 따로 없어서요. 책임지고 드시고 가시죠."

각자 와인 한 병을 들고 건배하듯 병을 부딪친 뒤 나발을 불었다.

"이름이 이수연이라고 했죠?"

"네. 편하게 부르세요."

"그래요, 이 씨. 나이가 어떻게 돼요?"

놀리듯 말하는 연우에게 수연은 샐쭉한 눈을 하고 바라봤다.

"그렇게 부르지 마요. 나이 많은 아저씨가 어머닐 부르는 것 같으니까. 스물일곱이에요."

"나보다 네 살 어리네. 어머닐 싫어해요?"

"죽은 사람을 싫어하네 마네 말할 것도 없지만 좋아한 적은 없습니다."

"어머님 천국에서 우시는 거 아닙니까?"

"제 말 하나하나 신경 쓰실 분이 아니에요."

와인 병을 입에 대고 멈칫 움직임을 멈춘 수연은 잠시 생각하다,

"아니, 애당초 대화를 해 본 적이 거의 없으니 모르겠네요."

"……확실히 이것도 담배 한 대로 끝날 이야긴 아니군요."

연우는 꿀렁꿀렁 소리가 날 정도로 와인을 목에 붓는 수연의 손을 슬쩍 밑으로 누르며 말했다. 때마침 도착해 문 앞에 놓인 피자를 가져오는 수연은 벌써부터 살짝 비틀거렸다.

연우는 그녀가 펼쳐 둔 피자 한 조각을 집어 입에 넣었다.

"눈은 어느 정도로 안 보이는 거예요?"

생각해 보면 연우는 간혹 손과 발을 더듬곤 했지만, 꽤 정확하게 물건을 짚었다. 아파트로 오는 길에도 지팡이를 쓰긴 했지만, 혹시 모를 위험을 대비하는 것 같았고 소리만

으로 사람의 위치를 판단하는 것 같지도 않았다. 상황을 판단할 땐 이리저리 눈동자가 바삐 움직였으나 이렇게 대화할 땐 제대로 정면을 바라보고 얘기했다.

"음, 시력이 나쁘지만 안경으로 교정이 안 된 상태로 돌아다닌다고 보면 됩니다."

자세히 말해도 보통 사람들은 차이를 잘 알지 못하니 연우는 적당히 설명했다.

"아까 사실 오는 길에 당신이 휘청거릴 때 도와줘야 하나 고민했어요."

"당신이 저를 잡고 걷는 게 전 더 익숙지 않아 긴장됩니다. 애당초 저는 그만큼 눈이 안 보이는 것도 아니고요. 하지만 시야가 좁은 건 사실이니 정 도와주고 싶으시다면 위험해 보일 때 도와주시면 감사하겠습니다."

그렇게 말해도 연우는 도움이 필요한 사람으로 보이진 않았다. 그는 겉보기엔 위태로워 보여도 풍기는 분위기는 비유하자면 배준과 비슷했다. 거대한 배준보다야 작지만, 등과 어깨가 곧아 보기보다 함께 섰을 때 꽤 올려다보아야 했다. 이목구비가 그려 내는 인상과 몸의 선이 부드럽고 고왔으나, 눈코입이 큼직하고 구릿빛인 피부 탓에 유약한 이미지는 아니었다. 그를 사람들이 도와주는 건 단지 눈이 일반적이지 않기 때문이리라 생각했다.

“그러고 보니까 수연 씨는 센터에서 무슨 일을 하기에 그리도 화들짝 놀라서 달려오셨습니까? 배준 씨가 사전에 아무 말도 안 해 줬어요?”

“화들짝 아닌데요.”

“화들짝이 아니면 허겁지겁이죠. 제가 비록 눈이 잘 보이지 않아도 수연 씨의 똥그랗게 커진 눈이랑 헉헉대는 입이 보일 정도였죠.”

연우는 일부러 놀리듯이 수연의 표정을 과장되게 재현하며 낄낄댔다. 그는 어쩐지 그녀와의 자리가 즐겁게 느껴졌다.

“나는 거기에 수제 인형을 공급하는 일개 작가예요. 내가 인형이 어떻게 쓰이는지 궁금하다고 해서 오늘 배준 씨가 처음으로 2층에 들여보내 줬죠. 당신에 대한 건 아무것도 듣지 못했지만요. 내가 보기엔 일부러 그런 것 같지만.”

“그가요? 믿기지가 않는데.”

“저도 믿기지 않네요. 그는 항상 딱딱한 데다 지쳐 보였어요. 근데 내가 완벽한 공범이 된 후에는 입이 아주 귀에 걸리더군요. 그 사람이 그렇게 크게 웃는 건 그때 처음 봤어요.”

연우는 수연의 말에 가만히 턱을 쓰다듬다 말했다.

"난 거기서 일한 지 꽤 오래됐어요. 반년 좀 안 됐으니 광인병과 처음부터 함께했다고 해도 과언이 아니죠. 일주일에 한 번 일하고 내 몸 하나 누일 숙소에, 여동생한테 용돈까지 줄 수 있다니, 이 일을 시작해 다행이라 생각했어요. 지금 같은 불황에 장애인을 굳이 써 줄 곳은 어디에도 없으니까요. 하지만 배준 씨를 볼 때면 그런 생각을 한 게 좀 미안한 마음이 들곤 했어요."

"왜요?"

"배준 씨는 몇 달 전까지만 해도 친절한 사람이었어요. 웃음이 헤픈 사람도 아니었지만 지금처럼 인상만 쓰고 있는 사람도 아니었죠. 그런데 실장이 된 이후부턴 얼굴에서 웃음이 사라졌어요. 속사정은 자세히 모르지만, 그도 나름대로 힘들어서 그랬을 거예요. 살욕과 성욕으로 가득 찬 감염자들을 마주하다 보면 사람이 피폐해지지 않을 수 없거든요. 나 같은 놈이 아니고서야 멀쩡한 사람도 점점 미쳐 가는 곳이에요. 익숙해질 수도 있겠지만, 익숙해지지 못하는 사람도 있기 마련이니까요."

"당신이 미안한 마음을 가지는 것도, 배준 씨의 함께 죽자 하는 마인드도 이해해 줄 수는 없네요. 덕분에 병이 아니라 사람이 무서워졌으니."

"동정심으로 당신이 날 주워 왔듯, 그에게도 한 줌의 동정심과 자비를 나눠 주면 어떨까 하는 거죠."

"동정심은 주다 보면 끝이 없어요. 내가 오늘은 자제심을 잃어 사람 한 마리를 주워 오기로 했지만 그렇다고 해서 열 명을 주워 올 수 없는 것과 같은 이치입니다. 내가 봤을 때, 유리창 너머에 당신을 세워 두는 그 새끼들한텐 분명 동물들도 넣어 줄 거예요. 밖이 아니라 안에. 당신은 그나마 인간이라 인간 취급한답시고 밖에 세워 둔 거라고."

수연은 몸을 삐딱하게 기울인 채 팔로 얼굴을 받쳐 기댔다. 얼굴은 하얗지만 딱 봐도 그녀는 이미 거나하게 취해 있었다. 자주 들여보내 주지 않는 알코올이 신나게 혈관을 따라 그녀의 몸을 활보하고 있었다.

"맞아요. 실제로 난 그 안에 개나 고양이로 보이는 무언가가 있는 걸 본 적이 있습니다."

"역시, 그럴 줄 알았어!"

"그럼 수연 씨는 어떻게 해야 한다고 생각하나요? 그들은 공산품도, 당신이 공들인 고급 수제 인형에도 만족하지 못하고 흥분을 가라앉히지 못해요. 누구든 일단 사람부터 살려야 한다고 생각하죠. 진정되라고 식물이라도 넣어 줘야 하나?"

"웃기는 소리. 그 새끼들한텐 식물도 아까워. 당신, 식물을 꺾었을 때 나오는 하얀 즙이 빨갛기만 해도 그렇게 말할 수 있어? 아닐걸."

그녀의 목구멍엔 댐이 무너진 듯 끊임없이 와인이 쏟아지고 있었다.

반면에 연우는 취한 그녀가 신경 쓰여 술을 자제하는 중이었다. 하지만 혼자만 마시고 있는 게 못마땅한 듯 말하는 도중에도 그녀가 계속 와인 병을 제 쪽으로 밀어 대는 탓에 중간중간 마시면서 덩달아 꽤 취해 버렸다.

"이제 여동생 얘기 좀 해 봐. 가족 사랑이 넘치는 오빠님."

연우는 나이도 어린 주제에 은근슬쩍 반말하고 있는 수연에게 한마디 할까 말까 고민했지만, 술로 물렁물렁해진 뇌가 귀찮다며 이쪽도 말을 놓자고 정해 버렸다.

"친동생은 아냐. 같은 보육원 출신인 친한 동생이지."

"오, 어디 보육원?"

"무궁화 보육원인데. 왜?"

"아아, 거기! 내가 있던 곳 바로 옆 동네네."

"당신 어머니가 그렇게 일찍 돌아가신 거였나?"

"아니, 한 달 전쯤까진 같이 살았어."

센터에서 일하는 사람들은 하나같이 사연이 많다. 그녀에게도 배준과 자신 못지않은 여러 사정이 있겠거니 짐작은 했지만, 고급 아파트가 자기 집이라며 데려온 수연이 보육원 출신이라는 얘기에 연우는 내심 놀랄 수밖에 없었다.

"당신 여동생 구하기 작전을 얼른 짜 보자고. 그래야 당신이 일을 그만둘 거라며."

사실 수연은 알고 있었다. 연우가 일을 그만둬도 그 자리엔 또 다른 사연 있는 누군가가 채워질 거란 걸. 그 누군가는 드디어 일을 구했다며 그마저도 기꺼워할지도 모르고, 배준처럼 표정을 잃은 채 죽은 사람인 양 맡은 소임만 수행하는 센터의 숨 쉬는 부품이 될지도 모른다. 그뿐만 아니라 이 사람이 월요일이면 화요일, 수요일이 있을 것이고, 월요일을 특히나 기다리던 이들은 치료에 지장이 생긴다며 화가 났을지도 모른다. 그 화가 애꿎은 배준에게 향할 수도 있었다.

하지만 의료계 종사자도 정치인도 아닌 일개 인형 작가가 재난으로 뒤덮인 세상에서 할 수 있는 거라곤, 단지 두고 볼 수 없는 눈앞의 한 명을 '인간답게' 살아남을 수 있도록 돕는 게 최선이었다. 또한, 지옥도에 갇힌 개인은 그곳에서 꺼내질 수만 있다면 누구의 손이든 악착같이 잡는 것. 그리고 남은 한쪽 팔로 다른 한 사람의 손을 더 잡아 이끄는 것. 그것만이 그들이 할 수 있는 최선이었다.

"이름은 안다빈. 물장사하는 아이였어. 그런데도 그 아인 사랑을 했지. 남들이 아무리 더러운 매춘부라 얘기한들 내 눈엔 운명 같은 끌림을 믿고, 애정으로 세상을 바라보는 순수한 아이야. 다빈이에겐 애인이자 단골손님인 사람이 있었는데, 알고 보니 그 새끼는 유부남이었고 나중엔 본처에게 머리채까지 잡히곤 그 남자에게 버려졌어. 그런 일이야 그쪽에선 숱하게 있다지만……. 아무것도 모른 채 진심으로 사랑했던 그 아이의 마음은 처참했겠지. 실제로 다빈인 버려졌다는 사실에 점점 망가져 갔어."

다빈의 이야길 꺼낸 연우는 조금 전 수연이 그러했듯, 자제 없이 술을 들이켰다. 수연은 보육원 출신에 매춘부가 된 남 일 같지 않은 여성의 사정에 반대로 음식도 술도 입에 댈 수 없었다.

"와중에 광인병에 감염된 거지. 불특정 다수를 밀접하게 만나는 직업이니 나보다도 더 노출되었을 거고. 다빈인 참을 수 없는 분노를 느꼈지만 버림받은 직후였기 때문에 감정 조절이 되지 않는 게 이상하다고 생각하지 못했어. 더군다나 감염자가 되면 접촉자와 이동 경로를 센터에 모조리 밝히게 되기 때문에 매춘부들은 입막음과 협박을 일상적으로 받아. 그러니 신고할 생각도 하지 못했지. 결국 다빈인 일을 쳤어."

당시를 떠올리던 연우는 눈을 질끈 감았다. 하지만 어둠 속에서 더 많은 것을 느끼는 그에겐 안타깝게도 눈앞에 그려지는 풍경이 사라지지 않았다.

"한국에선 광인병으로 인한 범죄가 심신 미약에 해당될 거라지. 하지만 아직 법적 처벌에 대한 논의는 계속되고 있어. 그도 그럴 게 자신이 감염자인 것 같다고 자진하여 신고해도 신고전에 무슨 행위를 했는지 숨기거나 거짓으로 진술하는 경우도 많으니까. 당연하지 않아? 누가 곧이곧대로 처벌받고 싶겠어. 정신적으로나 신체적으로나 아무 문제도 발견되지 않는다는데 분별해 낼 수도 없으니 정부는 그냥 스스로 정직하길 바라는 거야. 감염 여부 검사지도 그래봐야 욕망 설문이잖아? 난 정부가 멍청하게 대처하고 있는 걸 충분히 이해해. 그런데 좆같은 건 멍청하다 말은 듣기 싫으니까 언론에서 범죄를 일으킨 감염자들은 정신력에 문제가 있는 거라고 선동하고 있다는 거야. 제기랄!"

얼굴이 새빨개진 연우는 주먹을 세게 쥐고 씩씩거렸다.

수연은 손톱이 파고들어 아프겠단 생각을 하고 있었다.

"여러 가지 가능성에 신중을 기하는 거라 말하지만 좆 까라지. 그 아이는 직업까지 들먹여지면서 별별 질타를 다 받고 있는데 방관하고 있는 거랑 뭐가 달라. 감염 여부만 확인되면 우발적인지, 고의적인지 알 거잖아?! 다 밝혀진 거야! 걘 다 솔직하게 답했어. 명백하게 광인병 감염자고 스스로 격리 치료 시설로 들어갔어. 진짜 그러고 싶어서 그런 게 아닐 텐데. 다빈이는 충분히 죄책감에 시달리고 있다고. 심지어 3개월이 지나도록 완치도 되지 않는다잖아. 뭔가 문제가 있는 게 분명해. 다른 감염자들은 치료센터에 들어가면 2주에서 한 달이면 완치된다던데……."

취한 상태로 과하게 흥분한 연우는 마치 수연이 다빈을 풀어 줄 판사라도 되는 듯 호소했다. 수연은 묻고 싶은 게 많았지만 거칠게 숨을 몰아쉬는 연우의 등을 살살 쓸어내려 줄 뿐이었다. 수연은 술을 깰 겸 대화의 노선을 틀어야겠다고 생각했다.

"내 어머닌 광인병에 감염돼 스스로 총 쏴서 죽었어. 미쳤지?"

뜻밖의 놀라운 이야길 들은 연우는 그제야 수연을 향해 고개를 틀었다.

"그래. 이제 당신 얘기 좀 해 봐. 그래야 내가 사랑하는 여동생과 이곳에 눌러앉을지 말지 결정하는 데 도움이 되지 않겠어?"

연우는 쉬고 가라앉은 목소리로 말했다. 그는 찬 식탁 유리에 뜨거워진 볼을 비비며 그녀를 올려봤다. 잘 보이지 않을 텐데도 그는 상대가 말을 할 때면 꼭 그쪽을 바라보며 경청했다.

"별거 없어. 아버진 내가 태어나기도 전에 죽었고, 어머닌 날 버렸지. 빌어먹을 연약한 몸은 조금만 일을 해도 아팠고 돈을 버는 족족 수술비랑 병원비로 들어갔어. 그러다 어머니가 날 찾아온 거야. 가장 구질구질하게 뻐끔뻐끔 숨만 겨우 쉬면서 살고 있을 때."

"많이 원망스러웠겠네."

"글쎄…… 그래, 원망했었어. 하지만 그땐 원망 따위 할 정신이 내게 없었어. 단지 죽진 않겠구나 싶었지. 진심으로 죽겠구나 싶었을 때였거든. 그리고 정신이 들었을 땐 화를 내기에도 늦어 버린 거야. 이미 어머니로 인해 삶을 연장했고, 어머니의 돈으로 살아가고 있었어. 과거를 늘어놓기엔……. 너무 많았어. 너무 장황하고 피곤해서, 원망하지 못했어. 그리고 그냥 무생물처럼 편하게 살기로 했지. 아무 감정도, 욕구도 없이, 어항 속 금붕어처럼 이곳에서 살아가기로 한 거야. 흔한 이야기지."

"……흔한 이야긴가?"

"진부할 정도로."

술을 깨기 위해 이야길 시작한 수연은 다시금 와인을 마시면서도 정신만큼은 또렷해졌다.

"근데 세상이 이 꼴이 났어. 나는 그제야 다시 무서워졌지. 어항 속에 있다가도 죽을 수 있겠구나. 집 안에만 있어도 안전하지 않구나. 그래서 어머니와 나는 산속으로 도망갔어. 멀리멀리 산골 오두막으로. 근데 우린 살기 위해 고립된 주제에, 바보같이 또, 또 죽음의 공포를 잊고 밖으로 나간 거야. 모든 것들이 부족하게 느껴졌거든. 그러다 어머닌 언제 어디서 감염된 건지 혼자 뒈져 버렸고, 난 다시 혼자가 됐어. 그때 깨달았지. 내 생존엔 망할 어머니가 필요했구나. 사람이 필요했구나. 나약하고, 멍청한 사람. 그야말로 어머니와 나를 지칭하는 말이야."

연우는 어느새 수연을 안고 등을 토닥였다. 그는 살며시 구불거리는 긴 머리카락을 위에서부터 내려오며 쥐었다, 폈다가 하며 쓰다듬었다.

"오두막에 무드 등도 있었어?"

"그게 무슨 뜬금없는 소리야?"

수연은 연우의 품에 파묻혀 웅얼거리며 말했다.

"나는 잘 때 무드 등이 없으면 잠을 못 자거든. 네 생존에 사람이 필요하듯, 내겐 무드 등이 생존 용품이야."

"하, 넌 참 나약하네."

"맞아, 나약하지. 하지만 생존을 위한 무언가가 필요하다는 건 우매한 일이 아니야."

서로의 알코올 향이 겹치고 털어놓기 힘든 사연과 따뜻한 말까지 더해지니 누가 먼저랄 것 없이 마음이 일렁였다. 하지만 수연이 먼저 이성을 되찾고 연우의 품에서 나와 옷매무새를 정리하며 슬슬 자리를 파하자는 신호를 보냈다. 연우도 별다른 저항 없이 수연에게서 떨어졌다.

"연락하게 번호 알려 줘."

수연이 그에게 핸드폰을 들이밀었다.

"나 핸드폰 없는데."

"……폰부터 만들러 가자."

결국 수연은 그날을 통째로 그에게 헌납하는 수밖에 없었다.

06
삼자대면

일로 파묻힌 정신없는 일주일이 지나고 다시 월요일이 찾아왔다. 약속한 대로 수연은 병가를 낸 연우와 함께 그의 동생 다빈을 만나러 갔다. 아침에 인형을 보급하러 간 센터에서 수연이 배준에게 부탁해 얻어 낸 결과였다. 수연이 센터에서 일하면서 처음으로 써먹게 된 뒷배였다. 전번에 바락바락 소리치며 나가더니, 돌연 부탁을 해 오는 수연에게 배준은 무슨 일이 있었는지 궁금한 눈치였지만 별다른 질문 없이 센터 실장의 이름으로 다빈과의 면회를 주선 해줬다.

다빈이 있다는 아리아 격리 치료 센터는 성베드로 격리 치료 센터와 가까운 거리라 둘은 천천히 그곳까지 걸었다.

센터에 거의 다다랐을 때, 건널목 하나를 기점으로 건물들이 낮아지며 풍경이 바뀌었다. 아리아 격리 치료 센터는 성베드로 격리 치료 센터와 사뭇 다른 분위기였다. 낡음조차 티 나지 않는 검은색과 어두운 갈색을 벗어나지 못하는 주변 건물들. 그럼에도 눈에 띄게 어둡고 칙칙한 건물이 다빈이 있다는 격리 치료 센터였다.

수연이 1층 로비 직원에게 배준이 건네줬던 서류를 내밀자 직원은 밀봉된 서류를 뜯어 보지도 않은 채 겉봉의 스티커만 확인하곤 그곳을 총괄하는 실장을 데려왔다. '김시현'이라는 명찰을 단 짧은 머리의 여자는 정장이 아닌 헐렁한 면바지에 한껏 걷어 올린 구깃구깃한 셔츠를 입고 있었다. 배준과 같은 직급인 한 센터의 실장임에도 나오기 직전까지 허드렛일하다 나온 차림새였다. 몸이 편한 일만 하는 배준과 달리, 시현은 직접 환자들과 대면하며 일하고 있는 탓이었다. 그녀는 서류를 뜯어 보곤 안 그래도 정신없이 바쁜 와중에 불쑥 찾아온 특별 면회객이 달갑지 않은 기색이었다.

"조금 기다리세요."

30분 정도 지났을까. 로비에 앉아 기다리던 수연과 연우에게 조금 정돈된 모습의 시현이 다시 찾아왔다. 그녀는 건

물의 꼭대기 층인 5층으로 그들을 안내했고 작은 방 앞에 멈춰 섰다.

"들어가면 다빈 씨가 있을 겁니다. 면회 시간은 30분이고, 유리 벽에 충격을 주거나 훼손해서는 안 됩니다. 만약 다빈 씨가 폭력적인 행동을 보이거나 위험할 만한 증상을 보일 땐 테이블 밑에 만져지는 버튼을 누르시면 직원들이 들어올 겁니다."

면회하는 동안 상주할 직원 한 명조차 여유를 낼 수 없는 상황인지라 시현은 안내를 마치자마자 아래층으로 사라졌다.

수연은 조금 떨려 보이는 연우의 등을 살살 쓸다가 그가 먼저 들어가길 마음먹을 때까지 기다렸다. 처음 보는 객이 불쑥 먼저 얼굴을 들이밀면 놀랄지도 모르니까.

연우가 문고리를 잡고 문을 열었다. 문을 열고도 안으로 들어가지 못한 채 앞을 막고 있는 바람에 수연은 다빈의 얼굴이 보이지 않았다. 면회실은 통유리가 방의 반절을 가로지르며 막고 있는 구조였다. 머뭇거리며 연우가 들어가자 뒤따라 들어간 수연은 마이크가 달린 테이블 앞 의자로 그를 인도해 눌러 앉히고, 자신도 옆의 의자에 따라 앉았다.

다빈은 녹색 환자복을 입고 건너편에서 못마땅한 얼굴로

앉아 있었다. 긴 붉은 머리가 그녀의 가슴까지 덮고 있었고 한참을 센터에서 나오지 못한 탓에 검은 뿌리가 꽤 자라 있었다. 밋밋한 이목구비에 새하얀 피부의 그녀는 역시 연우의 친동생이 아니라는 것이 여실히 보이는 사람이었다.

"여긴 또 어떻게 왔어?"

사랑하는 오빠가 찾아왔다고 하기엔 불만이 가득 찬 목소리였다.

"어떻게든 왔지."

둘 사이에 무슨 사정이 있는지는 몰라도 연우에게 맡겨두었다간 30분밖에 되지 않는 짧은 면회 시간을 정적 속에 날려 먹을 것 같아 수연이 입을 열었다.

"저는 이수연이라고 합니다. 실례를 무릅쓰고 연우 씨와 함께 다빈 씨를 만나러 왔어요."

다빈은 감시하는 센터 직원 정도라 여기던 수연이 자신을 찾아왔다고 하자 안 그래도 험악하던 얼굴을 더욱더 구기며 말했다.

"실례가 되는 줄 알긴 하나 보죠?"

"그래요. 근데 다빈 씨, 몇 살이에요?"

"뭐야, 이 사람?"

"열아홉이야. 그리고 넌 말조심해."

연우가 그녀 대신 대답했다. 생각했던 것보다 어려 보여 물었는데 정말 상상 이상의 핏덩이였다.

"연우 씨한테 사정은 대충 들었습니다. 완치될 시점이 한참 지났는데도 퇴원을 하지 못하고 계신다고요. 저는 근처 성베드로 치료 센터의 직원입니다. 부당한 일을 당하고 계신 거라면 제가 도와드릴 수 있는 일이 있을까 싶어 오게 됐어요."

"가지가지 한다, 지연우."

다빈은 진심으로 질렸다는 표정으로 연우를 바라보다가 수연을 향해 말했다.

"이봐요, 내가 무슨 범죄를 저질러서 여기에 있는지는 알고 그러는 거예요? 난 살인자예요."

"그러고 싶어서 그런 게 아니잖아."

끼어든 연우의 말이 수연에겐 영 이상하게 들렸다. 연우는 고집스럽게도 내뱉지 않았지만 단어 하나가 교체되는 것만으로 엄연히 말이 달랐다. '죽이고 싶어서 죽인 게 아니잖아.'

"살인자는 살인자예요. 나는 유족들한테 보상도 못 해 줍니다. 벌금도 못 내요. 이 나라가 날 어떻게 처벌할진 모르겠지만, 난 살인을 한 이상 부당하게 나갈 생각 없어요. 그리고 지연우가 어떻게 구워삶았는진 몰라도 난 완치 안 된 게 맞습니다. 그런데 내가 밖에 나가 봐요. 살인해 본 손맛이 있는데, 한 번이 어렵지 여러 번은 쉽다고, 어? 여기서 아침부터 일어나서 하는 거라곤 부수고 때리는 건데."

"할 말이 있고 못 할 말이 있어!!"

다빈이 담담하게 내뱉었고, 연우가 테이블을 세게 내려치며 소리쳤다.

"너도 더 이상 나를 두둔해 줄 필요 없어. 무리해 가면서 찾아오지 마. 난 아직도 매일매일 화가 머리끝까지 난 상태로 잠에서 깨. 내 방에 들어오는 것들은 모두 형체를 알아볼 수가 없지. 살인 한 번으로 만족하는 사람이 있고, 아닌 사람이 있는 거야. 난 그 새끼를 열 번이고 스무 번이고 죽이고 싶었고, 그 한 번으론 내 안의 화가 풀릴 수 없어. 밖에 나가도 그 새끼는 없지만 이런 나는 그대로겠지. 난 스스로 죽지는 않을 거니까, 이번엔 생판 남을 죽일지도 몰라."

"네가 그럴 리 없잖아. 넌 강한 아이야. 이겨 낼 수 있을 거야. 갇혀 있어서 그래. 일단 나와서 산책도 하고, 맛있는 것도 먹다 보면,"

"내 말 무시하지 마. 난 안 나가, 못 나가."

수연은 이 모순되는 풍경에 마른 입만 달싹일 뿐이었다.

인형으로 만족하지 못하고 진짜 사람을 앞에 둔 채 욕구를 해소하는, 소동물들을 찢어발기며 만족한다는 감염자들 앞에 발가벗겨져서 일하는 연우가, 살인자가 된 감염자의 편을 든다. 그는 위로와 함께 다빈의 무죄를 공감해 주고 힘을 더해 주길 원했겠지만 그럴 수가 없었다. 다빈은 살인을 했다. 다빈이 죽인 남자는 죽어야 마땅한 사람일지도 모른다. 수연 또한 평소 그런 놈들과 함께 같은 산소를 마시고 있는 것조차 역겨울 때가 많았다. 하지만 어찌 살인자와 더불어 살아갈까. 살인을 한 사람을 아무렇지 않게 괜찮다고 토닥여 줄 사람은 앞에서 오열하는 이 남자, 연우와 같은 사랑을 나눈 '가족'뿐일 거라 생각했다.

더군다나 다빈의 태도는 단호했다. 지레 겁을 먹거나 체념한 것도 아니었다. 광인병 증세도 현재 진행 중이라 말하고, 그녀는 온전히 그런 자신을 받아들이고 있었다. 본인이 나갈 수 없다는 사람을 끌고 나올 순 없는 노릇이었다. 면회마저 관계자 배경으로 가능한 상황에서, 수연이 가지고 있는 돈으로 실제로 완치되지 못한 감염자를 빼 온다는 것은 사실 불가능한 일이었다. 연우만이 희망을 놓지 않고 있었을 뿐. 하지만 사회성이 부족한 수연에게도 할 말이 있고 못 할 말이 있었다.

연우는 피가 쪽 빠진 듯한 얼굴로 비틀거리며 자리에서 일어났다. 해 줄 수 있는 게 없었다. 할 수 있는 것도 없었다. 연우는 뒤돌아서서 면회실 문고리를 잡았다.

"인사도 안 해?"

거칠지만 어딘지 모르게 애정이 담긴 다빈의 목소리. 지금 이 자리를 뜨면 언제 또다시 만나게 될지 모른다. 그녀가 완치되고, 죗값을 다하고 밖에 나올 때까지.

"……건강하게 있어. 손 안 다치게 조심하고. 밥 잘 먹고."

당장 쓰러져도 이상하지 않을 낯빛을 한 연우는 앉아 있던 수연을 두고 나가 버렸다. 수연은 따라 나가야 하나 말아야 하나 고민하다 타이밍을 놓쳐 버렸다.

"흥— 등신 새끼. 저리 물러서 세상을 어찌 살아가나."

연우보다 한참 어린 그녀가 저런 말을 하는 게 참 이질적이라 생각하던 중 다빈이 수연에게 말을 걸었다.

"센터에서 일한다고 했죠? 내 얘기는 멋대로 연우가 말했을 거고."

"예. 뭐, 대충은요."

"연우가 나에 대해 말한 건 잊으세요. 세상에서 제일 불쌍하게 말했겠죠. 안 봐도 뻔하지. 하지만 난 그때 내가 감염된 것을 신의 축복이라 생각해요."

습관처럼 주머니 속 담배를 찾던 다빈은 텅 빈 주머니에 쯧— 혀를 찼다.

"광인병에 감염되고 나서야 알았어요. 그 새끼가 날 버렸을 때 진짜 죽고 싶었는데. 왜 나를 죽입니까. 사랑은 사랑이고, 내 안위는 안위인 것을."

"그건 그래요. 잘했습니다."

다빈은 수연의 칭찬에 쿡쿡 웃었다.

"감싸 주는 사람은 있었어도 칭찬해 주는 사람은 또 처음이네."

다빈은 유쾌한 얼굴로 웃다가 제 얼굴을 손으로 가린 채 말했다.

"하……. 그런데 그 남자한테 자식이 있었대요. 고작 3살짜리. 걔가 나 때문에 아빠를 잃었어. 죽지 않을 만큼만 찌를걸. 그럼 걔는 날 좀 원망하다 잊고 평범하게 살 수 있었을 텐데."

얼굴을 감싼 그녀의 거친 손가락 사이가 축축해졌다. 수연은 잠자코 다빈을 바라봤다. 가로막힌 유리막에 그녀를 안아 줄 수도, 토닥여 줄 수도 없었다.

처음 보는 사람 앞에서 울고 있었다는 걸 자각한 듯 다빈은 거칠게 눈을 비비곤 고개를 들었다.

"……아까 거칠게 말해서 미안해요. 그나저나 그쪽이 일하는 센터에서도 실장이란 사람이 그렇게 고생해 가면서 일해요?"

다빈은 말을 돌리듯 대화의 주제를 바꾸어 수연에게 물었다. 수연은 세상이 무너진 듯한 표정으로 먼저 나간 연우가 신경 쓰였지만 면회실의 시계를 보니 10분 남짓하게 남은 시간에 다빈의 대화 상대가 되어 주기로 했다. 바깥공기를 묻혀 온 사람을 만난 지 오래됐겠거니 싶었다.

"글쎄요. 맨날 동태 눈깔 같은 눈을 하고 있어도 그렇게 고생하는 것 같진 않던데."

"그래요? 역시 그럴 줄 알았어. 여기 실장은 과하도록 환자들을 위로하고 챙겨요. 나는 그냥 여기 치료 센터가 구린 곳이라 그런 줄 알았는데, 그냥 그 사람이 그런 거였어. 실장님은 힘들고 외롭다는 푸념부터 자제되지 않는 성욕까지 모두 품에 안아 주는 사람이에요. 미련한 게, 꼭 지연우 같아."

다빈의 입가가 살짝 올라가 있었다.

"하지만 대단하다고도 생각해요. 어떻게 그게 가능한가 경이롭기까지 한 적도 있어요. 근데 그쪽도 알다시피 내가 여기 제일 오래 있잖아요. 난 봤어요. 그 사람의 공포와 불쾌감을. 실장님은 항상 자기가 좋아서 하는 일이라고 했지만, 힘든 건 힘든 거예요. 살인 당하는 공포에 시달리면서 일하니까. 실장님은 항상 병으로 어쩔 수 없는 일이라는 걸 상기시켜 주면서 날 위로해 줬어요. 그럼에도 문득문득 떠오르는 공포와 불쾌감은 어쩔 수 없었겠죠. 실장님이 무슨, 병동의 천사도 아니고 말이에요."

다빈의 눈에서 채 닦이지 못한 눈물이 바닥으로 떨어졌고, 그녀는 웃으며 말했다.

"나는 나가게 되면 그런 사람을 죽이게 되겠죠. 발작이 일어나면 인형과 사람을 구분하지 못하니까요. 이게 병 때문인지, 돌아 버리다 못해 고장 난 내 머리 탓인지 구별도 되지 않아요. 당신이 날 꺼내 줄 만큼 힘이 있는 사람이라면 나 말고 오빠를 부탁해요. 연우, 그놈은 허세만 가득해서 맨날 괜찮다고만 하니까."

수연이 면회실에서 나와 로비를 거쳐 센터 밖으로 나가자 담벼락에 주저앉은 연우가 있었다.

손에 손을 잡고서 줄줄이 사탕도 아니고, 다들 서로 손을 내밀지 못해 안달이 난 사람처럼 다른 이를 구원해 달라 말한다. 정작 자신은 하지 못하는 일을 남에게 부탁한다. 하지만 유감스럽게도, 수연은 그들과 같은 힘없는 사람이었다. 병동의 천사도, 돈 많은 VIP도, 센터 실장이라는 사람도 모두 다, 제 한 몸 건사하기도 힘든 인간이었다.

아마 그는 다빈에게 들은 가차 없는 말들로 전처럼 일하며 살아가기 힘들 게 분명했다. 연우는 순식간에 상승하고 추락하고 말았다. 그게 멋대로 하는 달콤한 상상이든 희망적인 탈출과 도주이든 간에 덤덤하게 옷을 벗을 수 있었던 건 분명 눈이 흐리다는 이유만이 아니었다.

수연은 버려진 유기견처럼 허탈해하는 연우의 어깨에 손을 올리며 말했다.

“집으로 가자.”

07
이수연

아파트로 함께 돌아온 후 연우는 한참을 망연자실한 표정으로 소파에 앉아만 있었습니다. 난 그 옆에 마찬가지로 멍하니 앉아 있었죠. 그가 허무함이든 절망감이든 느끼고 있을 때, 나 또한 허무와 절망 비스름한 감정을 느꼈습니다. 다빈을 만나고부터 '살아남아야겠다.'라는 다짐에 금이 가기 시작했기 때문입니다. 죽고 싶어졌다는 뜻이 아니라, '살아있음'의 의미에 의문을 품게 된 것입니다.

나는 다빈을 어머니와 겹쳐 보고 있었습니다. 실상 사회적으로 죽은 사람과 마찬가지인 다빈은 격리 센터든 감옥이든 정신 병원이든 어딘가에 갇혀 살다, 밖에 나와도 아무에게도 기억 받지 못하는 삶을 살아가겠지요. '감염자'라는 형편없는 면죄부만을 쥐고 있을 뿐, 사회적으로 기억될 가치가 없는 사람. 더군다나 이 시국에 너무나 넘쳐날 흔한 사연. 난 그런 다빈이 어머니와 다를 바 없는 죽은 상태구나, 그리 생각했습니다.

선생님. 세상에 나오지 못한 사연이 얼마나 많습니까. 인간이 진짜 두려워해야 하는 건 죽음이 아닌 잊히는 것이라는 걸 깨달았습니다. 난 어머니와 같이 숫자 1로 환원되고 싶지 않았고, 그건 '사망'이 아니었습니다. 재난이란 거대한 아귀 입에 내가, 사연이, 감정이 먹히는 것. 그것이야말로 사람이 참으로 평화롭게 살인당하고 마는 방식이었습니다. 그러니 나의 '생존'은 혼자서는 불가능했던 것입니다.

애당초 나는 연우에게 과거의 나를 투영하여 그를 주워왔습니다. 동질감을 느끼게 하는 그의 사연과 실시간으로 바라본 상실은 애정을 가질 수밖에 없었습니다. 가여운 사람. 내가 어머니의 역할을 하고, 그가 나의 역할을 한다면. 그리고 우리가 오래도록 함께한다면 어머니처럼 죽지는 않지 않을지.

연우는 곧 처음 내 집에 왔을 때처럼 술을 찾았고, 난 흔쾌히 그에게 와인을 내주었습니다. 또 마찬가지로 우리 사이엔 다시금 묘한 기류가 흘렀죠. 혼자가 된 우린 타인의 온기가 불가결했던 겁니다. 우린 첫날처럼 술에 취해 과거를 토해 내며 서로를 위로했고, 포옹했습니다. 그리곤 누가 먼저랄 것 없이 서로의 입술에 자신을 가져갔죠.

담배를 피우고 있지 않은 그의 몸에선 검붉은 포도 향이 났습니다. 우리는 둘 중 누구도 서로를 밀어 내지 않았어요. 그와 나는 거듭 입을 맞춘 뒤 서로를 마주했습니다. 그의 흐려진 눈은 해무가 낀 바다를 떠올리게 했습니다. 그는 잘 보이지 않는 게 아쉬운 듯 긴 손가락으로 내 눈코입을 쓸었습니다. 그가 살아온 삶을 그대로 보여주는 거칠고 상처 많은 손은 혹시나 내가 아플까 조심스럽게 이동했습니다. 하지만 그의 손길이 피부에 닿을수록, 더 닿고 싶어지는 부드러움과 섬세함을 가지고 있었지요. 간질거리고, 아랫배가 당겨오는 아찔함. 생전 처음 느껴 보는 감각과 감정이었습니다.

얼굴과 등만을 살살 쓰다듬던 그의 팔을 붙잡고 가까운 침실로 향했습니다. 내가 그를 데리고 성큼성큼 들어간 곳은 거실과 가까운 어머니의 방이었습니다. 그러곤 침대로 그를 인도했습니다. 그곳엔 어머니의 물건과, 향기와, 머리카락이 있었습니다. 단 한 번도 들어와 본 적이 없었습니다. 혼자 사는 넓디넓은 이 집에서 굳이 이 방을 쓸 일이 없지 않습니까? 집의 중심인 부엌과 거실에서 훤히 보이는 방이었지만 궁금해한 적도 없었습니다.

그가 내 팔을 끌어당겨 자신의 밑에 눕혔습니다. 내 눈앞엔 오늘 처음 본 남자가 하늘을 덮고 있었습니다. 나를 원하는 흐려진 눈빛으로 바라봅니다. 그가 다가오면 올수록 그의 길고 검은 머리카락이 아무것도 보이지 않게, 장막이 드리웁니다. 그와 입을 맞추는 순간만큼은 머리가 텅 빈 것처럼 아무 생각이 나지 않았어요. 뜨거운 열기가 이성을 마비시켰습니다. 그래요, 이건 분명 무의식과 같았습니다. 우린 둘 다 취했고, 외로움을 달래기 좋아 보이는 게 옆에 있으니 탐냈던 것뿐입니다.

잠시라도 떨어지는 게 아쉽다는 듯 우리는 끈질기게 서로의 입술을 물고 늘어졌습니다. 그의 상체와 나의 상체가 샌드위치처럼 겹쳐진 채 우리는 한참을 호흡했습니다. 그의 가벼운 무게감이 나를 짓누르고, 굳어있던 나의 손가락에 그의 손가락이 얽혔습니다. 나는 다리로 그의 허리를 감쌌고 그 순간부턴 누가 먼저랄 것 없이 거칠게 상대를 탐했습니다. 언제 벗었는지도 모를 그의 청바지와 나의 검은 정장 바지가 뒤섞여 침대 밑으로 떨어졌습니다. 모든 것이 생전 처음 느껴 보는 감각. 느껴 볼 생각도 하지 못했던 쾌락.

선생님. 다들 이런 쾌락을 위해 살아가고 있었던 걸까요? 나는 더욱더 내 안을 꽉 채워 줄 무언가를 원하고 있었습니다.

연우는 괴로운 듯 신음하며 말했습니다.

"수연아. 유감스럽게도 나, 콘돔이 없는데."

"괜찮아."

"안 괜찮아."

"내가 병원비로 돈 좀 꽤 썼다고 말했지? 불임이야, 나."

쓸 생각도 없었지만 써먹지도 못하게 망가진 나의 몸. 월경을 해도 아이는 가질 수 없다는 모순적인 몸뚱이. 나는 내 몸조차 이 세상에 아무것도 남길 수 없다는 걸 의미하는 것 같았지만, 그게 지금 내가 이토록 원하는 그와의 즉각적인 결합을 위해서라면 나쁘지 않다고 생각했습니다.

"잘됐지, 뭐."

"그런 말 하지 마."

그는 흥분이 가라앉고 슬픔에 잠긴 채 나의 가슴에 파묻히면서, "그런 말 하지 마."라는 말만 반복했습니다.

욕망을 풀 상대야 돈이 생기고서는 못 찾을 것도 없었습니다. 하지만 달리 원해 본 적도 없었습니다. 일찌감치 불이 꺼져 버린 안쪽을 만져 본 적도 없었습니다. 나의 손가락이 들어가는 감촉이 느껴진 순간 깨달을 테니까. 공허함, 외로움, 원망, 권태 따위의 지긋지긋하고 감당할 수 없는 감정들이 내 목을 조를 테니까요. 하지만 나의 안쪽은 생산만을 위한 장소가 아니란 걸 증명하듯 지끈거리며 뜨겁게 달아오르고 상대를 받아들일 윤활유를 내보냈습니다. 그가 내 안의 장막을 비집고 들어왔습니다. 뜨겁게 들어오고, 나갔다가, 다시금 나를 채웁니다. 쾌락이 공허를 채웁니다. 외로움을 내보냅니다. 원망을 지웁니다. 권태를 몰아냅니다.

대낮부터 질펀한 행위를 했다는 걸 증명하듯 나란히 잠든 나체 위로 햇볕이 쏟아져 내렸습니다. 기절한 듯 잠들었던 나는 눈이 부셔 부스스 잠에서 깨어났습니다. 바로 옆에서 부드럽고 따뜻한 타인의 살갗이 느껴지고 잔잔한 숨소리가 들려왔습니다. 바스락거리는 이불 소리마저 사랑스럽게 느껴지는 충족감. 낯선 어머니의 방 안에 포근한 빛이 가득했습니다.

선생님. 상실하는 경험을 하면 닿지 않은 것으로 애도를 하게 되나요?

창밖의 해가 지고 있었습니다.

내 눈으로 떨어지는 부서질 것만 같은 붉은빛들로, 눈물이 나올 것만 같았습니다. 내 기척에 그는 꿈속에서 현실로 돌아오려 애쓰는 듯 한참을 눈을 껌뻑거렸습니다. 그런 그의 모습이 우습고 애처로워서, 한참을 보고 있었습니다.

씻고 나온 그는 담배부터 찾았습니다. 먼저 씻은 나는 저녁에 일어났음에도 습관처럼 진한 커피를 들고 있었습니다.

"담배 끊어. 좋을 게 없어."

"당신도 커피 마시잖아."

"커피는 기호 식품이야."

"오, 흡연자들이 자주 하는 변명을 하시네?"

째려보는 내 눈빛을 능글맞게 회피한 그는 둘둘 말린 청바지에서 담배 한 대를 꺼내 물고 베란다로 나갔습니다. 셔츠의 단추가 너덜너덜하게 뜯긴 탓에 연우는 임시로 아버지의 옷을 입고 있었습니다. 어머니의 방에서 찾은 아버지의 옷. 어머니가 남겨 놓은 줄도 몰랐던 그녀의 죽은 남편의 옷. 그녀가 사랑했던 사람이 입었을 옷을 연우가 입었습니다. 하지만 나는 그가 입은 감청색 셔츠를 보아도 아버지를 떠올릴 수 없습니다. 다행히도.

"이제 알아서 놀아. 나 일해야 해. 큰일 났어 지금."

센터의 일은 보수가 센 만큼 꽤 빡빡한 일정을 소화해야 겨우 정기적인 인형 보급이 가능했기 때문에 마음이 급해졌습니다. 돈 때문에 하는 일은 아니었지만 계약서에 지장을 찍은 만큼 펑크를 낼 생각은 없었고, 그와 함께 산다면 지금 있는 돈으로 부족할지 몰랐으므로 더더욱 그만둘 순 없었습니다.

벌려둔 천들과 각종 자재를 체크하던 내 쪽을 보곤 그가 킥킥대며 말했습니다.

"아니, 들어와서 살라더니 볼 장 다 보니까 이러네."

"같이 살더라도 일할 시간엔 일해야지."

담배를 다 태운 그는 내 곁의 소파에 앉아 분주하게 움직이는 내 쪽을 바라보고 있었습니다.

"인형은 어쩌다 만들게 됐어?"

"보육원에 있을 때부터 취미였어. 원장이 맨날 '그게 돈이 되냐, 공부나 할 것이지.' 잔소리했었는데. 원장도 이게 이렇게나 돈을 벌어들일 줄 알았다면 보육원 따위 그만두고 인형 만들기나 했을 거야. 그 투박하고 짧은 손으로 가능할지나 모르겠지만."

"그렇게 당신이 공들여서 만드는 인형이 그곳에 들어간다는 게 아깝네. 당신도 그 일 그만두는 게 어때? 나도 당신 때문에 백수 됐잖아."

"난 내 인형들이 장식품보단 살아있는 인간처럼 다뤄지는 게 썩 나쁘지 않은데?"

"그럼 다른 역할을 부여해 주면 되지. 내게 그랬던 것처럼."

"역할?"

"응, 이왕이면 보람찬 걸로."

그는 조금 부끄러운 듯 얼굴을 붉히며 말했습니다. 연우는 자신이 상대의 얼굴을 자세히 볼 수 없으니 자신의 얼굴도 어찌 보이는지 신경 쓰지 않는 듯했습니다. 덕분에 나는 그가 어떤 감정을 느끼고 있는지 낱낱이 선명하게 볼 수 있었지만요.

"그러는 당신은 어쩌다 센터로 흘러들어 온 건데?"

"뭐, 특별한 것 없어. 광인병이 유행하고 나 같은 놈들한테만 내려온 특별 채용 공고가 있어서 일하게 됐지."

"아무리 좋은 조건이라고 해도 그렇지, 죽을지도 모르는 일을 하면 어떡해?"

"사실 난 그 일 별로 힘들지 않았어. 해 봐야 같은 인간끼리 깎아내리고 업신여기고 무시하는 거, 재밌잖아. 감염돼서 추잡스러운 짓 하는 거야 난 자세히 보이지도 않고. 자기

네들 욕망이나 채우는 게 고작인 것들은 내 인생사에서 별 것 아니더라구."

연우와 대화하며 나는 찔릴 수밖에 없었습니다. 조금 전까지 나는 그를 욕망했습니다. 그리고 한차례 욕망의 파도가 지나가고 차가워진 이성에도 나는 계속 그를 욕심 내고 있었습니다.

08
지연우

수연과 같은 집에서 살게 된 지도 벌써 한 달이었습니다. 다빈이를 만나고 온 뒤부터 일도 완전히 관두고 숙소에 있는 짐도 그대로 두고 온 채로 이 집에 들어와 살았습니다. 북적북적하게 나만의 공간 없이 살았던 전과 달리 수연의 집은 참으로 조용했어요. 주로 소리로 주변을 판단하던 제게 이곳은 판단할 것조차 없는 생활이 가능할 정도였달까요. 그녀의 집은 창문을 열지 않는 이상 화장실에 가기 위해 종종걸음으로 걷는 소리나 그릇 부딪히는 소리를 제외하면 생활 소음조차 거의 없었습니다.

수연이 낮에 일하는 동안 습관처럼 틀어 놓는 뉴스 소리만이 세상이 혼란하다 걸 내게 알려 줬습니다. 앵커는 항상 일관성 있게도 슬픔과 분노에 빠진 시민들을 말했습니다. 정부가 감염자들에게 격리 치료를 도입한 이후로 주춤해 보였던 광인병의 확산세가 다시금 크게 꿈틀대는 모양이었습니다. 지하철 관리 직원이 감염되어 기계 부품을 훼손하고 수십 명이 다치는 사건은 여러 번 반복되어 보도되기도 했죠. 그에 반해 이 아파트 주변은 더더욱 조용한 모양새로 변화하고 있었습니다. 수연의 말에 따르면 언제나 새로운 건물을 짓는다고 공사 소리로 시끄러웠다던데, 그마저도 광인병으로 인해 일체 중단되어 방치됐다고 했습니다. 아파트와 격리 치료 센터 주변에서 광인병으로 억울한 일을 당한 사람들이 모여 시위를 하는 통에 잠시 시끌시끌했던 적도 있었지만 전염병 확산을 방지한다며 모든 시위가 금지돼 그 소음마저 금방 갈무리되었습니다.

처음에 불편하게마저 느껴졌던 낯선 고요함은 이제 내게도 익숙해져 갔습니다. 이성인 그녀와 함께 살게 된 것이 종종 어색하긴 했으나 이 아파트에서 살게 된 한 달여 간의 나날은 내 평생 최고로 안락하고 평화로웠던 한때였습니다.

“당신은 쉴 때 뭐 해?”

한참 인형을 만들다 눈도 아프고 허리도 아프고 다리도 저리고 어쨌든 다 아파서 못 해 먹겠다던 수연이 소파에 누워 과자를 뽀스락대며 물었습니다.

“당신이 뭐야, 당신이.”

“하여튼. 잘 보이지도 않는데 뭘 하려나 싶어서.”

“그런 실례되는 말을 잘도 하네.”

그녀가 일을 할 때가 내가 쉴 때인데 단 한 번도 눈길을 준 적이 없던 걸까요. 항상 곁에 있었는데.

“오빠니까 하는 거지.”

이 말에 사르르 마음이 녹는 저 자신이 어이없었습니다. 요새 유독 그랬습니다.

“……난 딱히 쉴 때랑 아닐 때랑 크게 다르지 않아. 시야가 좁으니까, 혼자 있어도 습관처럼 항상 누가 보고 있다고 생각하고 단정하게 있게 되더라고.”

“취미 같은 건 없어?”

“취미…… 글쎄.”

“그럴 줄 알았어. 그럼 해 보고 싶은 것도 없어?”

“……춤?”

“춤?”

“뭐, 그냥. 나는 절대 못 할 만한 거잖아. 학교 다닐 때 애들이 장기 자랑을 하는데 다들 춤을 추더라고. 난 제대로 보이지도 않고 쿵쾅거리는 소리랑 번쩍거리는 조명만 눈에 보이는데 그땐 짜증이 그렇게 나더라. 시끄럽고 번잡스럽고 애들 어깨는 계속 사방에서 부딪히고. 근데 사실 부러웠지. ……응. 부러웠던 것 같아 내가."

수연은 나를 가만히 보더니 벌떡 일어나 내게 손을 내밀었습니다.

"같이 춤출까?"

대답을 하기도 전에 수연은 소파 앞에 앉아 있던 나를 일으켜 세우더니 양손을 쥐어 잡고 힘껏 당겨 빙글빙글 돌기 시작했습니다. 마른 몸에 손아귀 힘은 어찌나 센지 나는 그녀가 이끄는 대로 바보같이 휘청거리며 돌고 돌았습니다. 오른쪽 발을 왼쪽 다리 옆으로 쾅. 다시 왼쪽 발을 오른쪽 다리 옆으로 쾅.

"으……엇. 야! 어어어!"

"하하하! 바보 같아!"

분명 바보 같을 테죠. 몸짓도 표정도.

넓디넓은 거실에 처음으로 쿵쾅대는 소리가 울려 퍼졌습니다. 아래층 사람에 대한 걱정이 뇌리를 스쳤지만 회전목마처럼 정신없이 빙글대던 뇌는 미쳐 돌았는지 즐겁단 생각만 하고 있었습니다.

내가 쿵쾅대며 걸어 본 적이 있던가. 뚜렷한 한 점을 바라보려 애쓰지 않아도 이리 빨리 움직일 수 있던가.

우린 세상이 떠나가라 크게 웃다가 마룻바닥에 누가 먼저랄 것 없이 철퍼덕 꼴사납게 나동그라졌고 커헉커헉 크게 숨을 몰아쉬다 다시 바닥에 뒹굴뒹굴 구르며 배가 찢어져라 웃었습니다.

일상이었던 정적인 나날. 하나 그녀의 손을 쥐어 잡은 뒤부턴 무엇이든 어찌나 즐겁던지. 나는 왜 사뿐사뿐 걷기만 해야 하느냐는 그녀의 말에 처음으로 풀숲으로 뛰쳐나와 바람을 가르며 뛰놀게 된 영락없는 사춘기 소년이었습니다. 나는 그녀를 사랑할 수밖에 없었습니다.

"결혼할래?"

신문을 보던 그녀가 움찔했습니다. 신문에서 눈을 떼고 내 눈을 바라봤습니다. 아마 그녀는 미쳤나, 하는 생각과 내가 무슨 생각을 하고 있는가 읽기 위해 머릿속이 복잡한 듯했습니다.

대답 없는 그녀에게 덧붙여 말했습니다.

"내가 널 사랑한다는 거 알잖아."

"경외가 아니고?"

"경외하는 사람과 섹스를 하나?"

"왜 못하지? 영광 아닌가."

그녀는 킥킥대며 다시 신문으로 시선을 돌렸습니다.

"난 너와 더 깊은 교감을 하길 원해."

"깊은 곳까지 왔잖아?"

"말장난하지 마. 그런 걸 말하는 게 아닌 걸 알잖아."

그녀는 이내 신문을 덮고 턱을 괴며 나를 바라봤습니다. '얘를 어찌할꼬.'라고 말하고 싶어 하는 것 같이 느껴졌습니다. 그 모습마저 몸이 달아오르게 하는 것으로 보아 사랑이 아니면 무어란 말입니까?

그렇지만 이 생각과 욕망은 말로 내뱉어지지 못한 채 입만 달싹거렸고 그녀의 눈마저 거둬졌습니다.

진심으로 결혼하잔 말을 꺼낸 건 아닙니다. 그냥 다들 결혼이 사랑하는 타인 둘이 도달할 수 있는 행복의 종착지처럼 말하니까, 나와 그녀도 결혼하면 동화 속 왕자님과 공주님처럼 '오래오래 행복하게 잘 살았습니다.'가 될 것만 같았습니다. 생애 단 한 번 보육원에서 함께 지낸 동생의 결혼식에 가 본 적이 있습니다. 개천에서 용 났다던 그 아이의 식장은 눈앞에서 폭죽이 터지고 반짝거리는 비즈 장식과 보들보들한 진짜 꽃잎이 장식되어 있었습니다. 그럴듯한 축의금을 내지 못한 난 존재만으로 민폐인 것 같아 뷔페에서 딱 한 그릇만 먹고 나왔지요. 생존을 위한 추잡스러움은 커다란 아귀의 입처럼 항상 날 잡아먹곤 이게 내 세상이라며 입 속에 가두었습니다.

언젠가 다빈이가 내게 그랬지요. 천한 취급을 받아도 남들과 똑같이 진실한 사랑을 원한다고. 함께 있기만 해도 충분한 그런 사랑. 함께 손만 잡아도 모든 걸 할 수 있을 것만 같은 사랑이요. 나는 날 붙잡아 줄 사랑을 바랐습니다. 쓸모없는 나를 단지 사랑으로 감싸 안으며 계속 살라고, 사라지지 말라고 해 주는 사랑이요.

수연은 목소리가 유달리 낮은 여자입니다.

그녀는 항상 새까만 색의 머그에 커피를 마셨고, 나는 항상 투명한 찻잔에 푸릇한 찻잎이 띄워진 연한 초록빛 수색의 차를 마셨습니다. 그녀의 머그잔에선 고소한 향기도 났다가, 탄 나뭇잎 향 같은 것도 났으며 솔잎 향 따위도 나는 것이 냄새마저 아리송했습니다. 그래 봐야 고작 커피일 텐데, 그녀가 마시고 있는 것만으로도 특별하게 다른 무언가처럼 느껴졌습니다.

항상 점심때에야 일어나는 그녀는 식욕이 없다며 식사를 거르기 일쑤였습니다. 나는 음식물보다 커피를 먼저 찾을 그녀를 위해 부담 없이 먹을 수 있는 작은 빵들을 준비했습니다. 그녀는 내가 담아둔 것 중 항상 새까만 휘낭시에를 집어 먹었습니다. 초콜릿이 코팅된 다디단 빵으로 보였습니다. 하지만 그녀가 좋아하는 걸 내가 먹어 본 적은 없었습니다. 나는 항상 그녀가 손대지 않는 홍차 향이 얕게 밴 미니머핀을 먹었습니다. 나는 그녀의 것을 탐하지 않았고, 그녀도 자신의 것을 권하는 법이 없었습니다.

그렇기에 사실 난 알지 못합니다. 흐리게 보이는 색들과 냄새로 그려지는 모양새를 추측할 뿐 그녀가 검은색 머그잔에 무얼 담아 마셨는지 모릅니다. 어떤 맛의 휘낭시에를 입에 넣었는지도 모릅니다. 매일매일 바뀌었는지도 모르고, 한 가지만을 고집했는지도 모릅니다.

우리의 관계는 이 티타임을 함께 즐기는 방법에서 벗어나지 못했습니다. 우리는 이야기를 할 때면 항상 짧은 시간 내에 갈증을 씻어 내려는 듯 서로의 과거를 쏟아 냈습니다. 하지만 앞날을 그려 본 적 없는 우리는 현재도 잘 알지 못했습니다. 그래서 묻지 못했지요. 나도 그러하듯 당신도. 시간이 지날수록 과거의 그녀를 알아 가고, 지금의 그녀를 모르게 됐습니다.

그녀가 일이 밀렸다며 바삐 일어날 때면 티타임의 잔해

를 정리하는 건 나의 몫이었습니다. 한차례 천으로 식탁을 쓸어 낸 뒤 손으로 일일이 남아 있는 건 없는지 확인해 보아도 그녀는 언제나 가루 하나 떨어뜨리지 않고 깔끔하게 음식물을 먹었습니다. 하지만 어느 날은 웬일인지 바닥에서 휘낭시에 조각으로 느껴지는 무언가가 손에 걸렸습니다. 그날이 시작이었던 것 같네요. 내가 그녀를 참을 수 없이 욕망하게 된 시작의 날. 나는 주저 없이 그것을 바닥에서 주워 입에 넣었고, 그녀가 남겨둔 찻잔에 코를 들이밀어 차향을 깊게 들이마셨습니다.

그날의 그녀는 홍차 향 휘낭시에와 허브티를 마셨습니다.

본래 고아이자 장애인인 내게 누군가가 분수에 맞게 지어 준 곳에서 살아왔습니다. 분명 다른 세상도 있을 테지만 제대로 보이지도 않는 난 탐낼 생각도 해 본 적 없었습니다. 모두가 날 불쌍히 여겼지만 난 진실로 살 수만 있다면 괜찮았습니다.

그런데 수연일 만나고부터 다른 세상을 맛보게 됐습니다. 소음으로 깨는 일 없이 고요함 속에서 잠을 자고, 찻잔의 따뜻함을 내 손안에 맞이하며 하루를 시작했습니다. 그

안락함 속에서 사랑할 수밖에 없는 수연을 사랑했고, 내 세상은 그녀로 가득 찼습니다. 그녀도 나를 만나 눈에 띄게 안정을 되찾았습니다. 나도 압니다. 왜인진 몰라도 내가 그녀에게 의지가 되고 있다는 것을요. 수연인 숨이 막힐 때면 내 곁에 앉아 기대 호흡을 가다듬었죠. 난 그녀가 무엇보다도 예뻐하고 아끼는 존재입니다. 그 역할은 중하고도 가벼워서 어찌나 편하던지. 이리도 푹 자고 배불리 먹고 시원하고 따뜻하게 쉬었던 적이 있던가요.

다만 그녀가 고집스럽게 틀어 놓는 티브이 뉴스 소리가 내 마음을 계속해서 울렁이게 했습니다. 항상 시끄러운 바깥소식은 내가 돌아가야 할지도 모를 곳을 뒤돌아보게 했습니다. 그런데 이럴 수가. 내가 불만 없이 있던 그곳이 불현듯 가축만이 가득한 축사처럼 느껴지고 말았습니다.

점차 난 그녀에게 사랑을 받으면 받을수록 불안해졌습니다. 내가 어찌 살았었는지 갈피를 잡지 못했습니다. 이 시국에 난 일자릴 얻을 수도 없습니다. 이미 일을 그만둔 난 되돌아갈 수 없습니다. 되돌아가기도 싫습니다. 이건 배불러진 내 치기인지? 선생님. 전 미치도록 불안에 떨어야 했습니다. 그토록 서툰 우리의 사랑이 안정을 주기엔 부족했으니까요.

만약 그녀가 권태로워진다면 어쩌죠? 돈이 부족해진다면? 내가 외모마저 추해진다면? 재난이 지날 때까지 사랑을 받아먹으며 살아남아도 그 이후에 정상적인 세계가 도래한들 나는 무슨 일을 할 수 있을까요? 핀둥핀둥 놀다가 세상이 살 만해진 것 같으니 "일을 좀 해 보려 합니다. 아, 근데 눈이 잘 안 보이니 감안하셔요." 하면 내가 사장이라도 안 받아 줄 텐데요. 몸이 편해질 수 있다, 존엄을 지켜 주겠다, 사랑을 주겠다는 다디단 엉성한 캐러멜을 먹어 버린 난 아무것도 할 수 없는 어린아이가 되어 버렸습니다. 차라리 영영 병이 사라지지 않았으면. 세상을 정복해 버렸으면. 다들 평등하게 고통받았으면. 전염병 덕에 내가 그녀를 만났으니 전염병이 끝나면 그녀가 날 떠나갈지도요. 더는 불쌍하지 않다면서.

사랑을 받는데 왜 이리도 살아 있음이 안 느껴지는 걸까요. 내 몸이 이 세계에 현존하곤 있는 걸까요? 어두운 밤, 분명 옆에서 그녀의 숨소리는 들려오는데 번쩍 들어 올린 제 팔이 다른 이의 것 같아 소스라치게 놀라기도 했습니다. 그녀를 질투하는 건 아닙니다. 그녀가 되어 본 적도 없는데 어찌 감히 남의 인생을 가늠해 보겠습니까. 단지…… 나 자신이 미치도록 한심했습니다.

아, 그제야 생각났죠.

그나마 내게 삶의 가치를 갖게 해 준 절박함. 날 살게 했던 목표.

여동생이 수치를 얻으며 일할 때 대안을 주지도, 막지도 못했던 멍청하고 무지한 나. 그 와중에 재앙이 세상을 덮쳐와 여동생은 격리 센터에 갇히고 발버둥 치며 살아가야 했던 그때.

모두 여동생과 내가 평화롭진 못해도 함께 살기 위함이었습니다. 난 다빈일 꼭 그곳에서 꺼내 주려 했어요. 그러기 위해서 돈을 모았고, 이 몸을 유지했었습니다. 그걸 잊어버리다니요, 포기하다니요. 처음 해 보는 사랑에 눈이 먼 게 분명했습니다. 난 이상할 정도로 수연에게 집착하고, 불안해하고, 자꾸만 마음이 울렁거렸습니다.

09
이수연

나는 몇 번이고 다빈을 찾아갔습니다. 내가 본 그녀는 누구보다 강인한 사람이었습니다만, 그곳은 너무나 가혹한 장소인 걸 알기에. 내버려 둘 수 없는 연민과 죄책감 비스름한 감정들이 그녀를 만나고부터 간혹 내 마음을 찔렀습니다. 그래서 연우가 그녀를 막무가내로 꺼내려 했던 걸지도 모른다고, 아리아 격리 치료 센터 앞에 설 때면 생각했습니다.

수차례 실장의 권한으로 아리아 격리 치료 센터의 방문증을 끊어 달라고 배준에게 요구했습니다. 어쩐지 그는 전보다 더 지쳐 보였습니다. 그리고 전번에 연우에게 그의 뒷담을 했던 것이 멋쩍도록 내게 아무런 예고나 언질 없이 감염자들을 보게 한 일을 대번 사과했습니다. 그는 큰 몸집이 내게 닿지 않을 정도로 몇 걸음 물러나더니 90도로 몸을 숙였습니다. 그는 자신이 많이 피곤한지 최근 들어 감정이 욱하고 올라온다며 해명했습니다. 미안하고, 미안하다고. 사람이 그러면 안 됐는데, 자신이 조금 미쳤던 모양이라면서. 그날, 그러니까 일하는 연우를 처음 보게 된 날과는 정반대로 돌변한 그의 모습이 낯설고 어리둥절하여 내가 제대로 괜찮다고 말했는지 모릅니다. 하지만 그의 죄책감 어린 표정과 전보다 더 칙칙해진 눈가가 좀 애처로워 보여서 숙인 그의 어깨를 살짝 토닥여 주었습니다.

오늘도 다빈은 나를 반겨 주었습니다. 이번에도 벽을 사이에 둔 우리였지만 전보다 훨씬 편하게 느껴졌습니다. 다빈은 같은 여성이면서 적당히 먼 타인인 내게 개방적인 태도를 보였습니다. 그건 나도 마찬가지인지라 연우에게도 털어놓지 않았던 이야기까지 술술 내보냈던 것 같습니다. 때론 먼 사이가, 언제 다시 만날지 모르는 사이가 속 얘길 하기 제격 아니겠습니까. 선생님과 저처럼 말이에요.

부끄럽습니다만, 한 치의 거짓 없이 이때서야 알았습니다. 타인과 제대로 된 대화를 하게 되었을 때, 난 항상 어머니에 대한 이야길한단 사실을요. 난 다빈에게 스스로 정리되지 않는 모순된 감정들을 고백했습니다. 구질구질했던 보육원 생활, 기구했던 학창 시절, 어마어마한 유산 상속. 공감대를 형성하거나 상대의 흥미를 불러일으킬 자극적인 소재가 내 인생에 그리도 많이 녹아 있는데 난 어머니에 관한 이야기만 늘어놓고 있었습니다.

다행히도 다빈은 지루한 기색 없이 담담히 내 이야길 들어 주었습니다. 그러곤 횡설수설 뒤죽박죽인 내 감정을 위로했습니다. 더군다나 그녀는 내 할 말만 가득 써 내려간 편지에 답장하듯 생각지도 못했던 사연을 터놓았지요. 단지 나를 위로하기 위해 별것 아니라는 듯이 말이에요. 그녀는 무게 있는 사연을 던져 내 마음을 가볍게 만들겠다는 의도를 담아 말했습니다.

"임신한 적이 있어요. 그런데 일찌감치 선택할 것도 없이 유산돼서 나하고 의사를 제외하곤, 내 아이가 세상을 떠났다는 걸 누구도 알지 못해요. 이름도 없고 사랑도 없고 의미도 없이 세상을 떠난 거예요. 나만이 기억하고 있을 뿐이죠. 하지만 그 세포가 더 자라나서 심장이 뛰는 것까지 알았다면 나도 무슨 선택을 했을지 장담할 수 없어요. 돈이 없어 병원에서 단번에 죽이지도 못해 떼굴떼굴 계단에서 굴렀을

지도 모르고, 아등바등 일을 늘렸을지도 모르죠. 이러나저러나 내 삶은 혼자가 아닌 평생 함께여야 하는 책임과 의무가 점철된 삶이 되었을 거예요. 행복이 됐든 불행이 됐든, 내게는 벅찬 삶이에요. 당신 어머니도 그랬는지도 몰라요. 남편이 죽고 되돌릴 수 없는 혼자가 되어 버렸고, 아이는 혼자가 아니란 걸 다시금 되새기게 했을지도. 그리고 그게 숨을 막히게 했을지도요. 언니가 이해할 필요는 없다고 생각하지만 어쨌든 어머니를 끊어 낼 수 없어 괴롭다면, 내 이야기로 언니가 버려졌던 걸 이렇게나마 납득할 수 있었으면 좋겠네요."

아, 선생님. 내가 이 어린애를 통해 위안을 받았다는 것이 얼마나 비극입니까. 나는 어른으로서 연민을 가지고 다빈을 찾아왔습니다만, 사실 비슷한 처지의 누군가를 만나 위로받고 싶었던 걸지도 모릅니다. 내가 연우를 만나 몸을 섞으며 기쁨과 위로를 얻었듯, 다빈은 투명한 벽 건너편에서 제 삶을 도구 삼아 내 마음을 보듬으려 애썼습니다.

내 사랑 어머니. 야속하게도 나는 어머니를 사랑했습니다. 이미 차가워진 지 오래인 어머니라는 둥지 안에서 떠나지도 못하고 꿈속에서조차 흔적을 쫓았습니다. 분명 난 사람에게 기대도 신뢰도 해 본 적 없어 배신감을 느낀 적도 없었습니다. 그런 내가 사랑을 해 봤을 리도 만무하지 않겠습니까. 그런데 오두막에서 살았던 짧은 시간이 내가 어머니를 사랑하게 만들다니요.

죽은 것과 다름없는 인생을 살아왔을 이 어린아이를 찾아가서는 기껏 한다는 게 어머니에 대한 불평이었단 사실로 하여금 난 깨달았습니다. 난 어머니께 배신감을 느끼고 있었다는 것을요. 왜 두 번이나 날 두고 간 것인지. 기억난 분실물을 찾아오듯 주워 가선 다시 철저하게 내 삶을 짓밟은 어머니를 사랑한다는 건, 이성적으로 말이 되지 않잖아요. 해묵은 감정을 쏟아 내고 인정할 용기가 없던 난 익숙하게 도피하길 택했습니다. 도피했으면서, 계속해서 뒤돌아보고 있었습니다.

난 원망했더랍니다. 왜 이딴 전염병이 돌아서 평생을 함께했을지도 모를 이를 잃고, 사랑을 알게 된 것인지. 미련하고 미련하지요. 차라리 인간으로 태어나지 않았으면 좋았을걸. 그렇다면 당신도 세상에 잊히길 두려워 아등바등 광녀가 되지 않았을 텐데. 나 또한 자연으로 돌아감을 섭리로 받아들이고, 버림받은 이유를 정의하려 집착하지 않고, 그냥 먹고 자고 사랑만 하면서 살았을 텐데.

"귓속을 파고들던 거대한 총성이 아직도 생생한데. 내가 나인 채로 온전히 존재하는 게 가능할까?"

"잊고 싶은 거예요? 어머니를."

목이 메 쉰 소리로 중얼거리는 내게 다빈이 물었습니다.

"……아니."

"왜?"

"나밖에 기억하지 못할 테니까. 이 세상에 나밖에 없을 걸. 그니까 날 버린 걸 후회하게 만들어 줄 거야. 그 사람한테 빚을 지워 줄 거야. 그래야 비로소 가벼워질 테니까."

내 말에 다빈은 턱을 괴곤 곰곰이 생각하다 답을 냈다는 듯 테이블을 탕하고 내리쳤습니다.

"잊을 수 없다면 끝내 버려야지."

"끝내?"

다빈이 시원스레 고개를 끄덕이며 말했습니다.

"응. 영화가 끝나듯이. 책을 다 읽고 덮어 버리듯이 끝났다고 생각하는 거예요. 어머니 이야긴 끝났어. 잊으라는 게 아니에요. 언니 인생에 어머니만 있는 게 아니잖아요. 언니 안에 있는 수많은 책 중에 한 권일 뿐이지. 애착이 가는 책일 수 있어요. 괜히 떠오르고 곱씹게 되는 인상적인 책일 수도 있죠. 하지만 잡아먹힐 필욘 없어요. 그 이야기책에서 빠져나와요, 언니."

생각지 못했던 방법을 전수한 다빈은 벙쪄 있는 내게 크게 웃어 보였습니다. 그러곤 센터에서의 생활을 부러 조잘거렸습니다. 생각보다 밥이 맛있고, 이곳 센터 실장인 시현은 여전히 바보같이 착하다고 했습니다. 다빈은 그런 시현 덕분에 오래 있지 않아 자신이 센터를 나가게 될지로 모른다며 그때까지 연우를 잘 부탁한다고 했습니다. 하지만 다빈은 자신이 완연한 짐승이 된 기억을 잊지 못할 것 같다고, 여전히 제겐 축복이라 생각한다고 말했습니다.

"짐승이라도 길이 들잖아요. 아직 완치가 안 되는 날 보면 감염자들은 본능을 표출하다 저절로 완치되는 것이 아니라, 다시금 갇혀 지내면서 온순해지는 걸지도 몰라요. 그래서 여기 밥이 맛있나?"

일상을 조잘거리는 다빈이 환자복을 입고 있다는 사실이 다시금 안타깝게 느껴졌습니다. 짧은 면회 시간에 어머니에 관한 이야기만 계속 늘어놓고 있었단 사실에 멋쩍어진 난 지금이라도 다빈이에게 맞춰 대화하기로 했습니다.

"근데 뉴스에서 말하는 것처럼 욕망을 분출하게 되는 정신병이면 진작에 누구 한 명이 세계 정복이라도 했어야 하는거 아닌가? 호전적인 또라이가 한 명도 없을 리가 없는데."

"언니. 누가 뉴스 보고 정보를 얻어요. 늙은이들이나 그러지. 감염자인 내가 말하건대 이 병은 그냥 감정만 남은 짐승이 되는 거예요. 계획을 세우는 것도 이성이 하는 일이잖아요? 발작이 오면 이성 같은 건 저 안드로메다로 날아가 버린다고. 문명 따위 없었을 때처럼 하고 싶은 걸 하는 거예요. 길들지 않은 짐승처럼요. 식욕, 배설욕, 수면욕이 인간의 3대 욕구라고 하잖아요. 근데 매일매일 잠만 자다가 영양실조로 그대로 죽어 버려도, 식이 장애로 그릇에 코 박고 배 터져 죽어 버려도 그게 지금 뉴스에 나오겠어요? 지하철에서 똥칠하는 게 실시간으로 방송 타면 모를까. 그러기 싫어서 다들 자진해서 센터로 오는 거예요. 카메라로 24시간 감시당할지언정 인간이고 싶어서 말이에요. 하지만…… 내가 직접 느낀 바로는 인간만 가지고 있는 절박한 욕망이 가장 강하게 작용하는 것 같아."

다빈은 유리 벽에 바짝 붙어 내 눈을 바라보며 얘기했습니다.

"사랑. 그리고 그 사랑은 인간이 무엇이든 할 수 있게 하는 거지. 살인, 그리고 자살 같은 거."

눈이 똥그래져서 진지하게 말하는 다빈이 이때만큼은 왜 이리도 귀엽던지. 연우 말마따나 여전히 사랑을 믿는 순수한 아이가 틀림없습니다. 이 사랑스러운 아이를 어찌 살인자로 대할까요. 우리가 나눈 대화는 천진함과는 거리가 멀었지만 다빈의 솔직함은 그야말로 어린아이가 가진 악의 없는 순수함을 가졌습니다. 나는 눈앞에 있는 그녀가 사람을 죽였다는 사실을 까맣게 잊고 있었습니다.

우린 30분씩 몇 번 대화했다는 게 믿기지 않을 정도로 가까워졌습니다. 그게 가능했던 건 행동거지가 거칠면서도 넉살 좋은 다빈이 덕분이었죠. 그럼에도 우린 짧은 만남 덕에 가능했던 깊은 이야길 끝내야 할 시간이 다가왔습니다.

밖에 있던 센터 직원이 면회 시간이 끝났음을 노크로 알렸고, 돌아서려는 내게 다빈이 마지막 말을 건넸습니다.

"나, 언니가 마음에 들어요. 근데 연우를 대체품으로 여기진 말아요. 그냥, 연우에 대해선 한마디도 없길래."

다빈을 만나고 집으로 돌아왔을 때, 현관 앞에 날 기다리던 연우가 있었습니다. 항상 외출하고 돌아오면 엘리베이터 소리를 듣고 아는 건지 주인을 기다리는 강아지처럼 연우는 현관 앞에 서 있곤 했습니다. 그는 눈이 잘 보이지 않아서인지 몰라도 냄새와 내 컨디션만 느끼고도 평소에 귀신같이 외출 장소를 맞히곤 했습니다. 그런데 오늘은 유난히 못마땅한 기색을 보이며 날 기다리고 있더군요.

"다빈이 만나고 왔나 봐?"

"응. 좀 보고 왔어."

"왜 나랑 안 가고? 아니, 왜 나한텐 말 안 했어?"

"그냥. 동성 친구가 필요할 때가 있는 법이잖아."

연우는 가방을 내려놓고 손을 씻고 옷을 갈아입는 날 졸졸 쫓아다니더니 가자미처럼 눈을 뜨고 노려보기까지 했습니다. 겨우 한숨을 돌리며 물을 마시는데 연우가 다시 입을 열었습니다.

"너 무얼 해 볼 생각이 아예 없구나."

"뭐?"

"다빈이를 몇 번이고 만나러 가면서 진행되는 건 없고. 해결할 생각이 없잖아."

"도대체 무슨 소릴 하는 거야?"

"거래……. 거래 같은 거였잖아. 내가 여기 오는 거."

나는 갑자기 그가 왜 이러는지 영문을 알 수 없었습니다.

"그랬지. 그래야 내 맘이 편할 것 같았으니까. 근데 당사자도 원하지 않는다고 하고, 나도 내 능력이 그만큼 안 되는 걸 어떡해? 난 할 만큼 했잖아."

"뭘 할 만큼 해. 아직 아무것도 시도 안 했잖아. 걘 마음이 여려서 그래. 그런 큰일을 겪었는데 어떻게 거기 혼자 둬."

다빈은 살인을 저지른 사람입니다. 아직 미정인 감염 범죄에 대한 처우를 제쳐 두고라도 사회적으로 이미 죽은 사람이나 마찬가지인 그녀를 부득불 꺼내 와야 한다는 연우를 이해할 수 없었습니다.

"너, 나보다 다빈일 모르는구나. 그래. 네 말대로 거래였으니 불만이면 네 마음대로 해."

"뭐?"

"네 마음대로 하라구. 네가 뭘 하든 막지 않을 테니까."

"변했어. 너 이상하게 바뀌었다고."

"누가 누구더러 이상하다는지 모르겠네."

내 방으로 가기 위해 휙 하고 돌아서자 연우는 퍼뜩 똥마려운 강아지처럼 변하더니 성큼성큼 내게 다가와 뒤에서 날 세게 껴안았습니다.

"아냐, 미안해. 내가 미안해 수연아."

그는 항상 먼저 날 안아 줍니다. 내가 부르면 언제든 달려오고 무엇보다 우선시해 줍니다. 사실 그가 날 집착하는 것도 불쾌하지 않았습니다. 더 솔직히 말하자면 퍽 나쁘지 않았죠. 그는 날 항상 원했고 갈구했으니까요. 시선을 돌리면 항상 그는 날 보고 있었습니다. 잘 보이지도 않을 그 눈동자가 곧게 날 향하고 있는 모습이 참 예뻤습니다.

난 내가 느끼는 감정이 사랑이 아니라 의심치 않았습니다. 난 어떤 것도 아낌없이 그에게 주었고요. 그를 위해 센터 일도 계속하고 있었고 식욕이 없어도 그가 식사하길 원하면 같이 식탁에 앉았습니다. 원래 사랑이란 게 이런 건 줄 알았습니다. 이게 맞는 건지 이상한건지조차 생각해 본 적 없었습니다.

10
메마른 바다의 열대어

수연은 인형이 담긴 상자를 품에 안은 채 걷고 있었다. 집과 5분 거리인 성베드로 격리 치료 센터로 향하던 길이었다. 여느 일요일처럼 검은색 스웨이드 재킷과 구두까지 챙겨 신고 단정하게 외출했다.

한순간의 일이었다.

정체 모를 잔상이 수연의 앞으로 지나쳤고, 거센 바람에 못 이겨 수연은 꼴사납게 바닥에 널브러졌다. 철퍼덕 엉덩이부터 넘어져 꼬리뼈가 깨질 것만 같이 아팠고 구두는 넘어지면서 아스팔트에 처참히 긁혔으며 스웨이드 재킷은 바닥의 먼지로 뒤덮였다. 놀라 감긴 눈이 뜨이기도 전에 쾅! 하는 굉음과 유리가 와장창 깨지는 날 선 소리가 머리를 울렸다. 작은 유리 조각이 볼에 스쳐 피가 주르륵 흐를 때에야 눈을 떴고, 바로 앞에서 일어난 참상을 목도했다.

한 덤프트럭이 유치원 건물 반절에 가까운 깊이로 박혀 들어갔다. 수연의 눈앞 1미터 거리에서 눈 한번 깜빡일 새에 일어난 일이었다. 천운으로 수연은 볼을 제외하곤 단정히 묶은 머리가 헝클어지고 옷이 좀 엉망이 됐으며 꼬리뼈가 지끈거릴 뿐이었다. 그런데도 수연은 문제없이 움직여야 하는 다리가 말을 듣지 않아 '으으' 소리만 내며 팔꿈치로 트럭에서 멀어지려 몸을 뒤로 질질 끌었다.

조금 전의 굉음 탓에 귀에서 삐— 소리가 가시질 않았다. 그 외엔 아무 소리도 들리지 않았다. 수연이 덤프트럭으로부터 5미터 정도 떨어졌을 때 앰뷸런스 차가 도착해 방호복을 입은 사람들이 현장을 수습했다. 전엔 앰뷸런스 차 한 대만 거리에 서 있어도 다들 지나치지 못하고 힐끔댔건만, 이젠 빠르게 다른 길로 우회해 제 갈 길을 가고 있었다. 안에 어린아이가 몇 명이나 있었는지, 운전자는 죽었는지 살았는지 관심 두지 않았다. 이 시국에 감염자로 인한 사고 하나하나에 눈길을 주는 사람은 없었다.

누군가가 망연자실한 표정으로 바닥에 널브러져 있는 풍경도 분명 흔해진 일이었다. 모두가 익숙해졌다. 그래서 수연은 여전히 뛰쳐나올 것 같은 가슴을 스스로 쓸어내리며 후들거리는 다리로 일어섰다. 바닥에 흩어진 인형들을 다시 하나하나 상자에 담았고, 분주한 앰뷸런스 차 옆을 지나쳐 센터를 향해 다시 걸었다.

몇 걸음 뗀 지 얼마 되지 않아 멍하던 귀가 뚫려 아이 울음소리가 들렸을 때, 다시 뒤로 돌아 미친 듯이 집을 향해 달렸다. 발바닥에 불이 나도록 뛰었다. 뛰다가 일찌감치 품 안에서 떨궈진 인형 상자를 주울 겨를도 없었다. 꼬박 일주일 동안 만든 고급 수제 인형들이 처참하게 바닥에 널브러지고 차에 밟혔다. 퍽, 퍽 인형이 터지는 소리를 뒤로한 채 계속 계속 앞으로 달렸다. 맑아 보였던 연청색 겨울 하늘마저 불길하게 느껴졌다.

수연은 아파트 경비원의 한결같은 경계를 뚫고 귀가했다. 겨우 도착한 요새 속 1701호는 안전했다. 나간 지 얼마 되지 않아 엉망진창인 꼴로 돌아와 헉헉대는 자신을 한껏 걱정해 주는 연인도 있었다. 처음으로 인형 작가 일을 처참히 파투 낸 날이었다. 그날 이후 수연은 인형을 센터에 가져다줄 때를 제외하곤 바깥에 나가지 않았다.

수연은 다음 날부터 인형을 만드는 데 몰입했다. 이제껏 없었던 이상하고, 더 크고, 어려운 인형을 만들어 냈다. 집

안이 가득 찰 때까지 만족하지 못한다는 듯이 계속, 계속 만들었다. 수연은 인형을 유일한 방어 수단이자, 추모이자, 남길 수 있는 흔적처럼 여겼다. 언제 죽어도 이상하지 않을 이 세상에 흔적 하나는 남겨야만 했다. 이대로 허무하게 세상에서 사라지고 싶지 않았다.

수연은 다빈을 만나러 가는 길조차 두려워졌다.

새로운 불안과 공포와 별개로, 수연은 어머닐 점차 잊고 있었다. 멋대로 연우의 삶에 끼어든 덕이었다. 연우의 삶은 누가 보아도 불합리했으니 괜찮다 여겼다. 실제로 어머니의 자리에 새롭게 자리한 연인이란 존재는 적잖은 위안을 줬다. 하여 수연은 연우와 참 합이 잘 맞는다 생각했다. 그런데 둘 사이로 계속해서 끼어드는 다빈이란 존재는 서로를 어긋나게 했다. 수연에게 연우는 누구보다 동질감을 느끼게 했지만, 누구보다 이해되지 않는 사람이었다. 대화에 '다빈'이란 이름만 나오면 자꾸만 싸웠다.

오늘도 연우는 인형을 만들다 잠깐 쉬려고 일어나는 수연을 붙잡고 이야길 꺼냈다.

"넌 돈도 있고 연도 있잖아. 꺼내 올 수 있을 거야, 분명."

한결같은 대화에 수연은 머리가 지끈거렸다.

"제발 이성적으로 생각해. 돈? 있지. 연? 그래, 있다 쳐. 근데 꺼내 와서 뭐 어쩔 건데? 몰래 빼내 오면 수배가 붙을 거고, 걸리지 않는다 한들 젊은 나이에 평생 도피해 가면서 살 거야? 아니면 내가 널 데려와서 먹여 살리고 있다고 해서 진짜 대단한 사람인 줄 아는 건 아니지?"

"그런 말이 아니잖아. 다빈인 억울하게 거기에 있는 거잖아."

"연우야. 다빈인 살인을 했어."

"그 새낀 죽어도 싼 놈이라니까? 때리고 겁탈하고 고 잘난 용돈도 빼앗아 가면서 사랑한답시고 기둥서방 노릇 하다가, 제 가족한테 들키니까 다빈일 모르는 체했다고. 그리고 다빈이는 그놈 아내한테 죽을 뻔했어. 머리채만 잡힌 게 아니라고. 진술? 다 했지. 근데 직업을 말하니까 겁탈이란 말을 아무도 신경 안 쓰데? 게다가 다빈이는 그런 새끼한테 복수 좀 했다고, 심지어 감염돼서 제정신도 아닌 상태로 칼 한번 쑤셨다고 평생을 죽은 사람처럼 살아야 해. 그 어린 애의 인생이 평화로웠던 적이 한 번도 없어. 적어도 미래가 행복할 수 있단 희망이라도 품게 해 줘야 하는 거잖아. 오빠라는 사람이 돼서, 억울함을 풀어 줄 수 없다면 여동생이 도피라도 할 수 있게 해 줘야 하는 거잖아."

"그래. 나도 다빈이가 불쌍해. 근데 할 수 없는 게 있는 거잖아. 받아들여야 하는 것도 있는 거야. 그 어린 다빈이도 현실을 받아들이고 있잖아. 다 떠나서 다빈이 지금 아직 완치도 안 됐어. 내가 이런 말까진 하지 않으려고 했는데, 다빈인 지금 위험한 상태야. 어떻게 보면 치료 센터에 있는 게 이 시국에 가장 안전하다고."

"너도 봤으니 격리 치료 센터가 어떤 곳인지 알 거잖아. 심지어 다빈이가 있는 센터는 방음도 안 돼서 같은 층에 있는 수많은 감염자의 짐승 같은 소리가 다 들리는 곳이야. 그 사이에 홀로 독방에 갇혀서 있어야 해. 사람이 더 미치면 미쳤지 치료가 될 수 없는 곳이라니까? 봐 봐, 다빈이만 계속 완치가 안 된다잖아."

"엄연히 치료 센터고, 의료진도 있어. 거기 실장은 또 엄청 친절하고 신경도 많이 써 준다잖아. 믿고 좀 맡기고 내버려 둬 봐."

"내가 일하던 센터에서 사람 치료한답시고 무슨 짓을 했는지 알면서 센터를 믿으라는 소릴 하는 거야, 지금?"

수연은 차마 어떤 말도 할 수 없었다.

"그래, 말 나온 김에 물어보자. 결국 아무 시도도 안 해 보고 인형만 만들고 있을 거였으면 왜 날 데려왔어? 맞아. 네 말마따나 불법일 뿐이지 그냥 감염자 치료였어. 감염자들이 날 직접 겁탈하는 것도 아니었고, 피부 하나 스치는 일이 없었어. 그냥 스트립쇼 같은 거야. 근데 왜 그렇게 날 가만두질 못해서 안절부절못하고 주워 오기까지 했어? 그냥 평범한 직업이었어. 새로운 시국으로 생겨난 새로운 수요에서 난 직업. 다들 그냥 지나칠 그다지 충격적이지도 않을 일말이야."

"남한테 그렇게 얘기한다고 해서 아무 생각 없이 그 일을 했을 리가 없잖아. 아무 감정 없이 할 수 있었을 리 없잖아. 사람은 인형이 아니잖아. 그냥 그러고 있는 널 그대로 두기 싫었어."

"그래. 그래서 처음 본 널 믿고 따라왔지. 이런 세상에서 그렇게 손 내미는 사람 흔치 않으니까. 근데 내가 왜 그 일을 했는데. 애당초 왜 따라왔는데. 그리고 너만은……. 나를 이해해 줄 줄 알았어."

"그만하자. 제발."

다빈의 얘기만 나오면 둘 사이의 사랑은 온데간데없이 사라졌다.

지지부진한 대화로 싸우는 날이 잦아지고 연우는 매일같

이 낮에 밖으로 나갔다. 수연은 차라리 다행이라 여겼다. 어차피 수연은 해가 지기 전까지 거실에서 인형을 만드느라 바빴고, 연우는 항상 어머니의 방에서 홀로 외롭고 지루하게 지냈으니 산책이라도 하면 좋지, 싶었다. 광인병 때문에 밖이 위험하긴 해도 그는 항상 인적이 드문 곳으로 걷는다고 했다. 이 근처엔 한참이고 진행되지 않는 재개발 지역이 있다. 사람은 다 빠졌는데 광인병이 창궐한 이후 개발이 중단되어 어두침침한 폐허 같은 곳이었다. 예전엔 몰라도 지금은 차라리 그런 곳이 산책하기 좋을 거라 수연은 짐작했다. 연우는 항상 멀쩡한 상태로 해가 지기 전에 돌아왔다.

그러다 하루는 해가 지기 시작하는데도 연우가 늦도록 돌아오지 않았고, 수연은 안절부절못하며 그를 기다려야 했다. 저녁을 함께 보내자는 약속을 한 것도 아니었지만 식사 시간만은 암묵적으로 같이한다고 생각했다. 예전 같으면 모를까 평소보다 귀가가 늦으면 이 시국에 큰일이라도 난 건 아닐지 걱정이 태산이었다.

수연은 만들던 인형도 내팽개쳐 놓고 엘리베이터 소리만 기다리며 현관 앞에서 빙글빙글 돌았다. 현기증이 날 정도로 정신 사납게 움직이던 수연은 기다리다 못해 아파트 앞에라도 나가 봐야겠다 결심했다. 대충 입고 있던 옷에 겉옷 하나만 걸치고 나가려는데 벌컥 열려야 할 현관문이 악! 소리에 한 뼘도 열리지 못하고 멈춰 섰다. 빠르게 이마를 비비며 아파하고 있는 인물은 두툼한 실루엣의 옆집 사람, 평화였다.

"아…… 무슨 용건이라도 있으세요?"

평소 같았으면 사과부터 했겠지만 지금 수연은 연우에게 무슨 일이 있는 건 아닐까 온 신경이 쏠려 있었다. 더군다나 무얼 하고 있었는지는 몰라도 넓은 복도에서, 그것도 문을 열었을 때 이마를 찧을 정도로 한 뼘도 안 되는 거리에 얼굴을 들이밀고 있는 옆집 사람은 유쾌하게 보기 힘들었다.

"아으……. 아파라. 아니, 그냥 잘 지내나 해서, 슬슬 얼굴이나 볼까 했죠. 그래도 같은 층 사는 유일한 이웃인데 통 대화도 못 하고, 또 이런 시국엔 서로 내왕하면서 지내야 우울증도 안 걸리고 그러는 거야. 그런데 무슨 일이라도 있어요? 왜 이렇게 땀을 줄줄 흘린대."

"저랑 같이 사는 친구가 시간이 늦었는데 집에 오질 않아서요."

"연락은 해 봤어요?"

"그게……. 그 친구가 핸드폰 화면을 보지 못해요."

"전화를 하면 되지. 그것도 못 받을까."

수연은 간단한 것도 생각해 내지 못하고 우왕좌왕하던 자신이 어지간히도 예민해져 있었나 보다 하면서 한숨을 깊이 내쉬었다.

"수연 씨랑 같이 산다는 그 친구, 커다랗고 까만 남자분 맞지요?"

"아, 네. 아시네요?"

"크흠, 오가다가 봤지. 그래도 옆집인데. 내가 약국에서 퇴근하다가 그 친구 봤는데 여기에서 멀지 않은 곳 벤치에 앉아 있었어요. 너무 걱정하지 마요. 때 되면 들어오겠지."

수연은 평화의 말에 안심하고 다리에 힘이 풀려 살짝 휘청였다.

"아구, 수연 씨가 걱정이 많은가 보네. 그게 다 속에 쌓인 스트레스 때문이야. 자 자, 들어가서 편히 앉아요. 내가 도와줄게."

평화는 수연을 소파에 앉혀 두고 자연스럽게 주방으로 향했다. 그러곤 따끈한 녹차를 두 잔 가져와 한잔을 수연의 손에 쥐여 주며 권했다.

"아이구, 손이 이렇게 차서 어떡해. 정말 무슨 일이라도 있었는가 봐."

평화는 손끝이 찬 수연의 손을 마주 잡아 살짝 토닥였다.

수연은 그동안 평화를 경계하고 피해 온 것이 미안해졌다. 해서 그런지 거짓말을 섞어 진심은 꼭꼭 숨겨 둔 채 얘기했던 전과 달리, 풀어진 상태로 평화에게 그간 있었던 일들과 감정들을 고백했다. 우연히 한 사람을 구원하게 된 일, 그리고 자신도 그를 사랑하게 된 일. 하지만 다빈의 일로 부딪히면서 생긴 사랑하는 사람을 향한 아주 작은 적의까지. 수연은 평화에게 이야길하는 것만으로도 최근 자신을 피곤하게 하던 연우에게 자그마한 복수를 하는 듯했다.

"사실 연우를 좋아하는 것과 별개로 좀 박차는 게 사실이에요. 내 능력 밖에 일을 하길 원하고, 또 난 그에게 해 주지 못하는 단 하나 때문에 죄책감을 느껴야 하니까요. 도와주는 걸로 처음을 시작해서 그런지 그게 내 역할이 된 것만 같아요."

"연우 씨가 여동생에게 집착하는 게 내가 듣기에도 비정상적이고 비이성적으로 보이는군요."

"그렇게까진……."

"병과 별개로 미친 사람은 답도 없지."

평화는 숨길 생각 없이 중얼거렸다.

"에구, 아냐, 아무것두. 연우 씨가 좀 유난스럽긴 하네. 아무래도 하자 있는 사람하고 같이 지내기란 쉽지 않지. 수연

씨가 배려해 주느라 고생이네. 내가 수연 씨에게 신의 축복이 가득하길 빌어 줄게요."

평화가 옆집으로 돌아가고 얼마 지나지 않아 연우는 멀쩡하게 돌아왔다. 수연은 연우에게 걱정을 많이 했다고, 역시 밖은 위험하니 당신도 외출을 삼가는 게 좋을 것 같다고 말했다. 연우는 대답 없이 무표정한 얼굴로 수연을 바라만 봤다.

11
어항 속의 금붕어

연우는 수연이 일하는 동안 그녀가 꾸며 준 방에서 잠자코 오디오 북을 들으며 시간을 보냈다. 연우가 지내는 방은 안락했다. 천장엔 건전지로 빛나는 꼬마 전구들이 적당히 늘어져 분위기를 더하고, 침대 머리맡엔 아담한 크기의 어항에 어여쁜 금붕어 한 마리가 헤엄치고 있었다. 그 옆엔 나란히 작은 화초 화분들이 자리했다. 이 모든 건 수연이 그를 위해 사 주고 꾸며 준 것들이었다. 수연은 그의 안온한 일상을 위해 가만히 누워만 있어도 책을 읽어 준다는 오디오 북을 결제하고, 눈이 잘 보이지 않지만 빛은 예뻐서 좋아한다던 그를 위해 전구를 달고, 심심하지 않게 다른 생물을 놓아주고, 싱그러운 냄새와 촉감을 줄 식물들로 그의 곁을 채웠다. 하지만 연우는 오디오 북을 들으며 어린 다빈이 했던 말을 떠올렸다. 다른 애들은 엄마 아빠가 읽어 주는 동화책을 들으며 잠이 든다더라.

연우는 다리를 꼬고 침대에 누워 있다가 다빈의 생각이 나자 마음이 불편해져 이어폰을 빼고 몸을 일으켰다. 창문 밖으로 뛰어노는 아이들의 목소리, 아기의 울음소리가 들리고 그를 달래거나 혼내는 어른들의 목소리로 떠들썩했다. 연우는 부스스해진 긴 머리를 손으로 빗어 묶고 옷을 갈아입었다. 살짝 구깃구깃하지만 단정하고 세련된 흰색 셔츠와 돌돌 말린 양말까지 조심조심 엉거주춤하게 서서 입었다. 산책하기 위해 나갈 채비를 할 때면 수연은 일하다가도 항상 현관으로 배웅을 나왔다. 그러면 연우는 수연에게 키스한 뒤 문밖으로 나섰다.

아파트 밖으로 나와 직진했다. 마치 앞으로 나아가면 찾는 목적지라도 있는 듯 앞만을 향해 걸었다. 근처 놀이터 소음이 점차 커졌다. 아이들의 울음소리가 더욱 커지고 조용히 좀 시키라는 어른들의 신경질적인 목소리도 커졌다. 온갖 소음이 연우의 귓속에 겹쳐 울렸다.

"넌 같이 못 놀아! 엄마가 괴물이라며!"

"아냐, 우리 엄마 괴물 아냐!"

"너네 엄마 미쳐서 감옥 갔다며 바보야! 저리 꺼져!"

집 안에만 있으면 '아, 세상은 평화로운가.' 싶다가도 나오기만 하면 이랬다. 재난의 사연들이 사람들의 그림자 속에 따라다녔다. 연우는 아이들에게도 여지없이 잡아먹을 기회를 도사리는 아귀가 숨을 죽이고 쫓아다니는 것 같았다. 그래서 연우는 부러 밖으로 나왔다. 집 안에만 있으면 자꾸 다빈을 잊게 됐다. 근처라도 나와 재난의 상황을 몸소 느낄 때면 안전이 불안할지언정 마음이 편해졌다. 동생을 위해 무언갈 하고 있는 것만 같은 착각이 들었다.

연우는 계속 계속 걷다가 쥐 죽은 듯이 고요한 재개발 지역에 다다랐다. 오른쪽과 왼쪽 길 모두 건물이 틈새 없이 줄지어 있으나 사람은 찾아볼 수 없었다. 대신 건물에서 떨어져 나온 것 같은 벽체와 온갖 가게의 간판들, 그리고 깨진 유리 조각들이 길바닥을 채우고 있었다. 어느 건물은 피사의 사탑처럼 한쪽으로 기울어 있어 위태롭다. 연우는 아랑곳 않고 걷고 걸어 모래가 가득 쌓여 있는 공터에 도착했다. 이곳이 바로 연우가 우연히 발견한 산책의 마무리 장소였다.

세상이 이 지경이 된 후로 길거리엔 오토바이, 차 한 대도 서 있지 않았기에 도리어 도보엔 장애물이 없었다. 사고를 미연에 방지하기 위함도 있었고, 아직 법이 해결해 주지 못하는 재산의 훼손을 막기 위함이기도 했다. 반면에 이곳, 재개발 지역은 과거의 모습을 그대로 지녔다. 칙칙하고 부서진 건물투성이지만 건물과 건물 사이를 잇는 빨랫줄도 그대로, 골목에 세워진 세발자전거도 그대로.

항상 이곳에 있는 벤치에 앉아 낮 시간을 보냈다. 방치된 크레인의 묵직한 기계 부품들이 끼익 끼익 날 선 소리를 내는 곳. 연우는 이곳에만 오면 항상 마음이 안정됐다. 그가 앉아 있는 벤치 주변에 그가 지금껏 버려온 담배꽁초들이 쌓여 있었다. 그는 이곳에서 하염없이 담배를 피우고, 하늘을 바라봤다. 이제껏 이곳에서 다른 사람을 마주친 적이 없었다.

그런데 저 멀리 누구인지 모를 사람의 잔상이 보였다. 연우는 화들짝 놀라 허둥지둥 벤치에서 일어났다. 괜스레 누군가에게 비밀을 들킨 기분이었다. 두툼한 실루엣이 성큼성큼 다가와 말을 걸었다.

"어휴, 전에 보니까 눈이 잘 안 보이는 것 같던데 맞나봐요. 모르나 본데, 그쪽 위에 건축자재들이 쌓여 있어서 위험해요."

"아……. 감사합니다. 그런데 절 아시나요?"

"나 옆집이에요! 서평화라고 해요."

"아, 평화 씨. 수연이한테 얘긴 들었어요. 약국 하신다고."

"예, 아 상담사이기도 하지요! 수연 씨가 그런 얘기는 안 했나? 뭐 오늘은 이거나 저거나 쉬는 날이지만."

연우는 옆집 사람이 왜 이런 곳에 와서 자신을 발견한 것인지 의문을 품다가도 평화가 끊임없이 말을 거는 통에 깊이 생각을 할 겨를이 없었다.

"어휴, 수연 씨가 잘 배려해 주나 모르겠네. 도움이 필요하면 언제든 옆집으로 와요. 밥이라도 해 줄게."

평화는 에구, 에궁, 을 연발하며 연우를 안전한 곳에 데려다주겠다며 이끌었고 요란하게 티를 내면서 연우를 배려하려 했다. 하지만 연우는 들고 있던 지팡이가 자꾸 평화의 발에 걸려 터덕 소리를 내며 바닥을 긁어 불편했다.

멀지 않은 벤치에 연우를 앉힌 평화가 고백하듯 말했다.

"사실 나 총각이 매일 이곳에 오는 거 알고 있었어요. 근데도 지금껏 아무 간섭 안 했는데, 계속 신경이 쓰여서 말이지. 아무리 이런 시국이어도 옆집인데, 무슨 걱정거리라도 있는가 싶어서 따라오고 말았어. 무슨 일 있는 거라면 이 사람한테 털어놓아 봐요. 말하는 것만으로도 많이 좋아질 거야."

평화는 무릎 위에 있는 연우의 손을 살짝 잡고 토닥였다.

연우는 오랜만에 낯선 사람이 주는 따뜻한 호의에 마음이 울렁였다. 지금껏 쌓인 응어리가 울컥울컥 목구멍으로 차올랐다. 눈물이 많은 편이 아니었는데도 순식간에 눈에 물이 찼다. 평화는 연신 도톰한 손으로 연우의 등을 토닥이며 "괜찮아, 괜찮아."라고 말했다. 연우는 그런 평화에게 절로 여동생에 관한 이야기까지 털어놓았다. 수연의 집에 얹혀사는 처지에서 다빈의 일을 누군가에게 떼쓰는 것밖에 할 수 없는 자기 연민이 터져 나왔다.

"수연인 받아들여야 하는 일이라고 했어요. 하지만 저는 잊고 살 수 없어요. 피는 안 섞였지만 가족의 일이잖아요. 어떻게 저만 편하게 지내겠어요."

"그래, 그래요. 그 말도 제삼자나 할 수 있는 소리지, 그죠? 수연 씨가 매정하게 얘기했네. 가족을 잃은 그 마음, 다 이해해요."

눈물까지 고인 흐릿한 연우의 눈엔 바로 앞의 평화가 무슨 표정을 하고 있는지까지는 전혀 보이지 않았다.

"내가 보기에도 다빈 씨는 피해자네요. 재난 속에서 소수자가 잡아먹힌 거죠. 하지만 다들 말하잖아요? 약자의 슬픔은 감내해야 하고 인내해야만 한다고. 사람들은 약자가 살고자 하는 의지도 있고, 탐욕이 있는 똑같은 '사람'이란 걸 몰라요. 무시하는 것일지도요. 항상 보통이던 네들은 재난 속에서도 보통의 상황이 계속되고 자신들만은 안전할 거라 믿거든. 그럴수록 약자를 도와야 하는 것을."

평화는 쯧쯧 혀를 차며 눈물을 뚝뚝 떨어뜨리는 연우의 손을 이제는 양손으로 꼬옥 붙잡았다.

"우리 함께 기도할까요? 내가 연우 씨에게 꼭 맞는 기도문을 알아요."

"네……?"

"주여. 우리가 바꿀 수 없는 것은 평온하게 받아들일 수 있는 은혜를 주시고, 우리가 바꿀 수 있는 것은 바꿀 수 있는 용기를 주시고, 그 차이를 깨닫게 할 수 있는 지혜를 주시옵소서."

평화는 기도를 끝내자마자 연우의 손을 놓았다. 그러곤 엉덩이를 탁탁 털며 일어나 상담가 마리아의 이름이 쓰인 검은색 명함을 연우에게 쥐여 주었다. 글씨가 보일 리 없는 연우는 손에 쥐어진 종이가 무엇인지 영문을 모른 채 평화를 올려다보았다.

"힘들면 언제나 날 찾아와요. 하지만 더는 그 눈으로 돌아다니진 말아요. 요즘 세상이 얼마나 험한데, 특히나 연우

씬 조심해야지. 부디 연우 씨에게 신의 축복이 가득하길."

소강상태로 보였던 지난날들이 무색하게 이상 증세를 보이는 사람이 지인, 친구, 가족도 모자라 자기 자신이 된 사례가 많아졌다. 개인들은 단지 나라의 결정과 어딘가의 연구소에서 만들어질 백신과 치료제만 기다렸고, 수많은 사람이 우후죽순 죽어 나갔다. 긴급 재난 문자가 하루에 꼬박 세 번씩 요란한 소리로 울렸다. '필독문'이라는 제목으로 배포된 긴 문자는 경고와 통보로 가득했다. 이해할 수 없지만 이해해야 하는 내용투성이.

광인병의 전염이 어떠한 매개체를 통해 이루어지는지 밝혀내기 위해 세계 각국의 전문가들이 모여 최선을 다하고 있다. 아직 특정한 인과 관계를 찾지 못했으나 감염엔 '접촉'이 필수적이다. 비과학적인 현상이 아님을 인지해야 모두가 우려하는 상황이 도래하지 않을 것이며, 대중 사이에 공포를 확산시킬 유언비어엔 강력한 처벌이 있을 것이다.

또한 욕구 배출 외 치료 방법을 찾지 못한 바, 현 의학 지식으로 개척하지 못한 체계가 있음이 분명하고 유감스러운 상황이다. 늘어난 환자를 모두 1인 격리를 하기엔 현실적으로 무리가 있음을 이해해 주시길 바란다.

그러니 이전과 달리 각 지역 격리 치료 센터에선 경증 환자들을 다루며 안전한 욕구 배출을 도울 것이고, 중증 환자들은 병동에서 집단 수면 치료를 진행한다. 현재 수면 치료의 부작용으론 경미한 두통만이 발견되었다.

범죄를 일으킨 완치자 역시 수가 많아 마땅한 격리 시설이 없는바, 정당한 처벌이 결정되기 전까지 일상으로 복귀한다. 완치자는 일반인보다 안전하며, 감염자가 처벌이 두려워 도주를 시도할 시, '감염자'라는 특례를 가질 수 없게 된다는 점을 유의하길 바란다.

특정 원초적 이상 행동을 보이거나 식은땀, 호흡 곤란, 격렬한 흥분, 두근거림, 분노를 느끼는 분들은 타인과 접촉을 자제하시고 의무적으로 신고하여야 한다. 전염병에 효과적으로 대항하고 일상을 회복하기 위한 통제에 부디 따라 주시길 바란다.

정리된 것처럼 말하지만 형식적인 위로 한마디도 없이 딱딱한 언어로 통제에 따르란 소리였다. 수면 치료도 '치료'라 말했지만 감염 상태에서 유일하게 듣는 약물인 수면제를 먹이는 것이었고, 정상으로 보일 때까지 잠재우는 것뿐이었다. 그야말로 묻어 두기 식 해결책.

범죄자들의 처우 역시 방생이었다. 당장 하나하나 조사하고 관리하기에 방대했기 때문이었다. 지금 모두가 다 함께 살고 있었다. 살인을 해 본 사람, 도둑과 강도가 되어 본 사람, 강간을 한 사람, 하루아침에 보상 없이 유족이 된 사람, 재산을 잃은 사람, 성적 수치심을 느낀 사람.

여전히 뉴스 속에선 일말의 감정 없이 사건들을 나열했고, '고립은 고독이 아닌 최고의 안전'이란 웃기지도 않는 CM 송이 나왔다. 고립을 미덕으로 여기는 세상이었다.

연우는 필독문을 하루에도 몇 번이고 듣고는 어떤 치료와 처벌을 받을지 모를 다빈을 가만히 둘 수 없다며 집 안을 빙글빙글 돌았다. 벽과 가구에 무릎과 어깨가 계속해서 부딪혔지만 연우는 아픔도 모른 채 다빈을 걱정했다. 하지만 "일단 완치가 되면 일상으로 복귀시켜 준다잖아. 감염자라는 걸 내세워서 형량을 최대한 줄여 보는 수밖에. 좀 앉아 있어."라고 수연이 말하자 연우는 한동안 방 안에 틀어박혔다. 그렇다 한들 짧은 시위가 되었을 뿐, 어색한 침묵은 오래가지 못하고 둘은 함께 일상을 보냈다. 연우는 아무렇지 않게 먼저 말을 걸었고, 수연은 그와 함께 식사했다. 습관처럼 함께하고 대화했다. 서로 역할만을 수행하는 사람들처럼 지냈다.

어중간하고 비밀투성이인 재앙은 조금 살 만하고 힘을 가진 사람들이 더 높은 담벼락을 올리게 했다. 사람들은 당연하게도 광인병을 아랫동네에서부터 일어난 것으로 여겼다. 다른 지역으로의 이동이 힘들어진 지금, 과거처럼 오두막으로 도피하는 일도 불가해졌다. 아리아 격리 치료 센터로 다빈을 보러 가는 것도, 연우가 재개발 지역으로 산책하러 가는 것도 더더욱 어려워졌다.

인형 치료는 계속되었기에 수연이 일을 그만둘 걱정은 없었다. 배준은 수연을 이 시대 흐름을 탄 최고의 수혜자라고 칭하기도 했다. 수연은 괜스레 센터에서 미적이다가 오곤 했는데, 배준에게 다른 지역 격리 치료 센터에선 여럿이서 병동을 쓰기 시작했다는 말을 들었다. 그야말로 아수라장. 수면 치료를 거부한 중증 환자가 섞여들어 난교가 이루어지기도 했다고 배준이 미간을 한껏 구기며 전했다. 창밖에서 모든 걸 지켜볼 직원은 무얼 생각하고 있을지 가늠도 가지 않는다며 자신도 곧 이 일을 그만둘지도 모른다고 했다. 수연은 그의 말을 들으며 성베드로 치료 센터의 넓디넓은 방 하나를 쪼개면 격리실이 몇 개나 생길까 따위를 생각하고 있었다.

연우는 몽롱한 상태로 옆자릴 더듬다 빈자리임을 깨닫고 흠칫 눈을 떴다. 곧 일요일임을 깨닫고 긴장한 몸이 순식간에 이완됐다. 눈이 아닌 손으로 앞서 느끼며 잠을 깨우다가 찬기가 느껴지는 옆자리에 꽤 늦잠을 잤구나 생각했다. 코끝에 닿는 공기에는 커피 향도 배어 있지 않기에, 부스스 몸을 일으켜 잠을 몰아냈다. 해가 중천에 뜰 때에야 일어나는 수연이 일찍부터 자리를 비우는 날. 주중에 유일하게 그녀가 외출하는 날인데도 불구하고 항상 옆자리가 비면 머리털이 쭈뼛 서며 일어나게 됐다.

일요일엔 외출한 수연을 기다리며 집을 지키고, 그녀가 돌아오면 하루를 통째로 함께하는 일명 안식의 날이었다. 팬트리의 공산품 빵이 아닌 맛있는 식사를 준비해 함께하고, 이야길 도란도란 나누면서 섹스하고, 낄낄거리면서 같이 샤워하고, 보송하고 따끈해진 피부를 맞닿은 채 나란히 잠자리에 든다. 인내 뒤엔 다디단 캐러멜이 있단 생각 하나로 연우는 비어 버린 집을 혼자 지키며 수연이 돌아오길 기다렸다.

하지만 넓은 집을 홀로 지키며 멍하니 주인을 기다리기란 언제나 익숙해지지 않는 일이었다. 일요일, 사람의 기척이 일절 없는 낯선 공간은 억누르고 감추어 두었던 감정을 일렁이게 만드는 최적의 장소와 시간이었다. 연우는 거실 테이블에 놓인 수연의 반짇고리 주머니를 뒤적여 작은 가위를 찾아냈다. 그러곤 방이 아닌 거실 바닥에 대자로 누워 팔목에 가위를 슬슬 그었다. 팔에서 살아 있단 감각이 짙게 배어 나왔다.

상황이 심화되고 산책조차 나가지 못하게 되었을 때부터 남몰래 해 온 행위. 미치도록 불안해지고, 한심한 자신을 돌아보게 되고, 나아가 가치가 없어진 삶에 무생물이 된 것만 같을 때 날붙이를 손목에 가져다 대는 걸 참을 수 없었다. 텅 빈 깡통 로봇처럼 느껴지는 '무감각'이 소름 끼치도록 공포스러웠다. 그렇게 피가 빠져나가는 감각을 느끼며 그대로 잠이 들었다. 요새 유독 모든 것들이 통 참아지질 않았다. 잠도 마찬가지인지라 어쩔 수 없었다.

그런데 비가 오듯 위에서 뚝뚝 물이 떨어져 얼굴을 적셨고, 연우는 눈을 떴다. 분명한 수연의 실루엣이 하늘을 덮고 있었다. 수연은 온 얼굴이 축축해질 정도로 울고 있었다. 수연은 연우 위로 올라타 그의 팔목을 세게 짓누르고는 소리쳤다. 온 하늘이 그녀로 덮였다.

"너 미쳤어? 왜 너까지 그래?"

"……나까지라니?"

"죽고 싶더라도 날 위해, 날 생각해서라도 적어도 자살은 안 해야 하는 거 아냐? 내가 뭐 나보다 오래 살라는 말도 안 되는 요구를 했어? 적어도 날 사랑한다면!"

땀과 눈물과 침으로 범벅된 처참한 얼굴로 수연이 소리쳤다. 연우는 우는 그녀를 처음 마주했다.

"사랑한다며."

"사랑해."

"그런데 왜 이래? 어떻게 이래?"

"수연아. 날 사랑해?"

"당연하지. 안 그럼 내가 뭐 하러……."

"그럼 나랑 같이 죽어 줄래?"

수연에게선 대답이 없었다.

"우리 같이 죽을까?"

역시 답이 들려오지 않았다.

"아님 네가 날 죽여 줄래?"

그녀의 손이 떨리고 있었다. 금방이라도 무너질 듯 팔과 몸통까지 통째로 우들우들 흔들렸다. 그 와중에도 연우는 그녀가 어머니의 일을 다시 겪고 싶지 않은 것뿐일까, 아니면 사랑하는 이를 잃을 수도 있단 생각에 놀란 걸까 가늠했다. 진짜 죽으려던 건 아니었지만 사랑 고백을 들은 지금,

이대로 죽어도 나쁘지 않겠단 생각이 들었다.

"나 이렇게는 살고 싶지 않아. 바뀔 수도 없는 거잖아. 어차피 내가 죽어 봐야 너 말곤 아무도 모르겠지. 난 그걸로 충분해."

"이기적인 새끼."

수연에게 있어 최악의 상황에서 최악의 말을 내뱉으면서도 입에서 배설하듯 나오는 진심들이 참아지지 않았다.

"사실은 이런 짓을 하면서도 네가 알아줬으면, 관심 가져줬으면 하고 바랐어. 내가 쓰레기인 거지. 난 네게 사랑받을 자격이 없어."

연우는 바들바들 떨리는 그녀의 손목을 쓰다듬었다.

"그래도 너라면 이해해 줄 줄 알았거든."

그녀의 몸엔 꼭 점자처럼 지워지지 않는 거친 언어가 손목에 남아 있다. 눈이 잘 보이지 않는 제게 어떤 신체보다 인상 깊었던 촉감. 선명한 외로움의 언어.

"수연아. 혹시 날 보고 위안받지 않았어?"

연우는 눈물이 멈추지 않는 얼굴을 소매로 닦아 주고 바들거리는 몸을 무너뜨려 등을 토닥이며 말했다. 가슴과 가슴이 맞닿아 심장 소리가 섞여 쿵쿵댔다. 한쪽은 너무 빨랐고, 한쪽은 담담했다.

"난 네가 아니더라도 항상 남의 기분을 재고 눈치를 보면서 살아. 근데 네 눈치를 가장 많이 봐. 사랑을 하니까 안 그래도 좁은 시야가 더 좁아지더라. 네가 세상 불쌍한 사람 중에서, 아니. 센터에서 나처럼 일하던 사람 중에서 월요일에 찾아온 걸 얼마나 다행으로 여겼는지 몰라. 같이 기숙사를 쓰던 동료들한테 인사도 하지 않고 빠져나올 정도였지. 네 말대로 모두에게 자비를 베풀 수는 없는 거잖아. 그리고 난 약아서 내게 찾아온 자비를 타인과 나눌 생각이 없었거든. 이 세상엔 더 간절한 사람이 너무 많아서 네가 조금이라도 고갤 돌리면 내가 아닌 다른 사람한테 갈 것 같았어. 그러면서도 네가 나에게 대뜸 손을 내밀었던 그때처럼 다빈이에게까지 손을 내밀어 주었으면 하는 욕심도 포기가 안 되더라. 난 아무것도 할 수가 없으니까 넌 마음만 먹으면 무엇이든 할 수 있을 것만 같았거든. 그래도 수연아. 난 널 알아서 다행이라고 생각해. 이건 정말이야."

수연은 서로에게 새로운 가족이 되어 주고 있다고 믿었다. 같이 살아갈 반려자이자 동반자. 하지만 동거인에 불과했다. 어중간한 이해를 나눈 불완전한 관계.

"어쩜 이리 날 몰라."

수연은 본능에 몸을 맡기고 처음 껴안았던 그 날처럼 품에 안겨 웅얼거렸다.

"네가 되어 보질 않았는데 내가 어찌 널 가늠해 보겠어."

피차 지고지순한 사랑은 기대하지도 않았다. 서툴고 글러 먹은 저 자신과 당신이 제대로 사랑할 수 있을지 의심을 안 한 날이 없었다. 하지만 체념하고 살 수도 없었다. 애정에 체념하고 산다는 건 정말 대단한 일이라고 생각했다.

바닥에서 서로의 팔목을 부여잡고 누워 한 치의 틈 없이 상대를 껴안았다. 해가 저물고 있었다. 둘은 손을 잡고 수면 아래로, 아래로 가라앉다 결국 바닥까지 닿았다.

그럼에도 수연은 놓아줄 생각이 없다는 듯 더욱 세게 껴안고 말했다.

"살자. 살아 내자. 아니 나랑 살아 줘, 제발."

연우는 수연이 만족할 때까지 등을 토닥였다. 둘 말고 아무도 없는 그곳에 어둠이 깔려 앞을 분간할 수 없을 때까지 점차 가라앉는 박동에 맞추어 토닥였다.

12
이수연

인간은 타자의 욕망을 욕망한다고 하지요. 모두가 속절없이, 무차별적으로 서로에게 감염되고 있는 것 같았습니다. '언젠가는 모든 인구가 감염자가 되는 건 아닐까?'라는 생각이 현실적일 정도로 말이죠. 죽지 않고 버틴다면 살아생전에 문명 이전의 세계로 회귀해 볼 수 있지는 않을지. 이 시대를 온전히 살고 있음을 말하기 위해선 일단 감염되고 나서야 자격이 생긴다고 할지도 모릅니다.

선생님. 인류에게 있어 최악의 상황이 다가왔을 때 무얼 하시겠어요? 연우와 나는 언제나처럼 함께 티타임을 가지고, 섹스했습니다. 누군가는 이를 두고 무지하며 불감하다 할지 몰라도 우린 그 습관만이 삶을 이어 나갈 동력이었습니다. 철저히 타인인 우리는 서로를 영원히 이해하지 못할 티타임을 갖고, 서로를 미친 듯이 탐했습니다. 그리고 격렬한 사랑의 끝엔 그가 죽어 영원히 내 곁에 있었으면 좋겠다고 생각했습니다. 이 사람을 소유하고 싶다는 욕구가 타올랐습니다. 또, 연우는 언제부턴가 이대로 내게 먹혀 죽고 싶다고 말했습니다. 우린 항상 정반대였지요. 양극단에 서서 서로를 바라봤습니다. 하여 서로를 발견한 것일 수도 있고, 하여 선망한 것일지도 모릅니다. 사람은 빈 것을 채우려고 욕망하기 마련이니까요.

마침내 우리는 동시에 이상 징후를 알아차렸습니다. 센터에서 일했고, 일하던 연우와 나는 감염자들이 익숙했지만 우리는 쉬이 잊고 말았습니다. 보고 마주하는 것과, 경험하는 것은 전혀 다른 일이라는 것을요. 전혀 익숙지 않은 감각과 괜찮지 않은 욕망을 매 순간 마주했습니다. 나는 인간으로 살고, 인간으로 죽고 싶었습니다. 하지만 내가 본 그는, 그가 바라본 나는 더 이상 인간이 아니었습니다. 스며들 듯 찾아온 병에 우린 푹 젖어 버리고 나서야 알아차렸습니다. 욕망을 그대로 분출하는 인간이 된다는 건 새로운 인간이 탄생하는 것과 같았습니다. 우린 서로가 알고 있던 인간이 아니었습니다. 낯설고 이상한 타인이 가죽만 뒤집어쓴 것 같은 기묘한 일. 이 병의 본질은, 인간의 본능과 욕망은 '야망'이 아닌 '야만'에 가까웠습니다.

하필 우리가 병의 증세를 알아차리고 다시금 생존의 공포에 떨어야 했을 때 주변이 심상치 않았습니다. 비이성적인 공포는 생존에 대한 방어로서 공격으로 이어지죠. '진짜 미친' 사람들이 나타났습니다. 세뇌라고 해야 할까요? 자신들이 광인병이라는 축복을 받았다며 마구잡이로 들쑤시고 다니는 모양이었습니다. 이전엔 숨기고 싶은 범죄를 저지른 사람들만 자신이 감염자라고 주장해 거짓말 탐지기 조사를 도입하고 난리였는데 이젠 허위 감염 신고가 감당할 수 없을 정도로 많아진 겁니다.

양대 산맥으로 '수면 치료 피해자 모임', '수피모'의 폭동도 만만치 않았습니다. 수면 치료로 만성 두통을 얻고 지능이 떨어지며 ADHD 증상을 보이는 사람이 급증했다고 했습니다. 막대한 보상을 해 주기 전까지 폭동을 멈추지 않을 것이고 그들은 심지어 감염자와 비감염자들 간의 위치를 전복시킬 거라 외쳤습니다.

그 때문에 안 그래도 부족했던 격리 치료 시설은 턱없이 모자라졌습니다. 광인병과 싸우는 기간이 길어지고 싸움의 대상은 이제 단순한 본능과 욕구 때문인 피해를 뛰어넘어

'인간' 그 자체가 되어 가고 있었습니다.

우린 몇 번이고 이성이 돌아올 때마다 서로에게 불안감을 쏟아 냈습니다. 수면 치료에 대한 공포를 말했고, 같은 병을 가졌음에도 너무나 다른 서로의 증상을 토로했지만 결론은 항상 더 감당 안 되기 전에 자진 신고를 하자는 것이었습니다. 이대론 어머니의 일이 반복될 뿐이었으니까요. 우리는 함께 살기 위해 서로를 감염자로 센터에 신고하고 격리 치료 의사를 밝혔습니다. 그리고 받은 지침은 고민한 게 무색할 정도로 터무니없었습니다.

미미한 증상은 방을 폐쇄하고 격리하라.

빌어먹을 새끼들. 본능을 스스로 자제하지 못하는 감염자에게 자가 격리라니요. 평화로움의 탈을 쓰고 있던 세상이 드디어 미쳐 날뛰고 있었습니다.

공포감을 느낀 난 일요일이 아님에도 불구하고 집 밖으로 뛰쳐나와 성베드로 격리 치료 센터로 달려갔습니다. 격리고 뭐고 눈에 뵈는 게 없었습니다. 배준이라도 붙잡고 빌어야 했습니다. 일면식이라도 있으니 연우와 날 받아 달라고요. 그걸 위해서라도 일한 거였는데. 센터 뒷문에선 배준이 아닌 낯선 사람이 나와 배준이 사정이 생겨 일을 그만두었음을 전했습니다.

결국 우린 스스로가 무서워 자신을 방에 가뒀습니다. 내가 만든 수많은 인형을 방 안에 두고 대면했을 땐 웃음밖에 나오지 않았습니다. 내 인형을 소비하던 그들과 달리 나는 눈앞의 손때 묻은 인형에 아무런 욕구도 들지 않았습니다. 나는 평생을 목숨 하나 부지하기 위해 안간힘을 써 왔습니다. 하지만 어머니와 연우를 만나고부턴 먹고, 싸고, 자는 것 외에는 살아남기 위한 노력을 한 적이 없었던 것 같습니다. 그것에 대한 업보인 걸까요? 그렇다 한들 다시금 생명의 위협을 느끼게 되는 날이 이런 식으로 찾아올 거라곤 생각해 본 적이 없었습니다.

그는 어머니의 방에서, 나는 나의 방에서 문을 잠그고 자신을 스스로 격리시켰습니다. 말도 안 되는 정부와 센터의 지침을 철저히 지켰습니다. 하지만 광인병은 우리가 손쉽게 살아남도록 내버려 두지 않았습니다. 우리는 점차 건너편에 있는 서로를 미치도록 욕망했습니다. 그를 향한 욕망을 지우려 애썼습니다. 다른 것으로 덮으려 애썼습니다. 그러나 방 안의 모든 것을 때려 부수며 손과 발에서 피가 나도 아픔이 느껴지질 않았습니다. 나는 단지 그를 욕망하고 있었습니다. 광인병에 감염되면 날 것의 자신과 마주하게 된다던데, 지금 내 모습은 살욕과 성욕으로 뒤범벅된 야만적인 모습이었습니다. 이것이 수면 아래 내 무의식이라면 왜 연우에게 살욕마저 드는 건지 알 수가 없었습니다.

해가 높이 뜨는 낮에는 증상의 소강기가 찾아오더군요. 그가 내 방문 앞으로 온 것이 느껴졌습니다. 그는 털썩 내 방문 앞에 주저앉았습니다. 밤새 미칠 것 같은 외로움과 싸움한 그와 난 지쳐 있었습니다. 우리는 문짝 하나를 경계로 함께했습니다. 오랜만에 듣는 중저음의 목소리. 그는 쉬고 지친 목소리로 연아, 수연아, 연아, 하고 나를 불렀습니다. 선생님. 내 이름에 의미 따위가 있을까요? 분명 지어 준 사람조차 별생각 없었을 텐데요. 하지만 연우가 내뱉는 내 이름은 무언가 다른 울림을 가져다주는 것 같았습니다.

별안간 그는 푸흐 바람 빠진 소리를 내며 웃으며 말했습니다.

"약체들이 최약체들이 되어 버렸네?"

"글렀어. 둘이 오두막에 내려가 살자. 일찌감치 그랬어야 했어. 노아의 방주처럼 둘이서만 재앙에서 탈출하는 거야."

"아아, 꿈같은 얘기네. 나도 꼭 끼워 줘."

"바다도 보러 가자. 바다 근처에도 작은 집을 사서 매일

매일 바다를 보자. 햇볕이 비치는 잔물결이 당신 눈에 얼마나 예쁘게 보일까 궁금해."

"응. 그러자. 분명 아름다울 거야."

실없는 이야길 하던 그는 괴로운 신음을 내더니 방문을 손톱으로 긁어 댔습니다. 아직 방 안엔 햇볕이 흘러들어 오는데 왜인지 그와 나는 평소보다 빠른 발작이 다시 시작됐습니다. 우리는 방문을 사이에 두고 자위했습니다. 만족할 수 없었습니다. 이 문을 열어 바로 그를 잡아 뜯어먹고 싶을 정도로 그를 욕망했습니다. 스스로 만지는 음부에는 텅 빈 공허만이 가득했습니다. 그가 문을 긁어 대는 소리가 소름 끼치도록 참을 수 없게 만들었습니다.

나는 몇 달 동안 주인을 기다리던 베개 밑의 칼을 집어 들고 방문을 열어젖혔습니다. 당연하게도 스스로 잠근 문은 쉽게 열렸습니다. 그도 막지 않았습니다. 그의 흥분한 얼굴을 보자마자 나는 참을 수 없는 열기에 휩싸여 그대로 칼을 그의 배에 쑤셔 넣었습니다. 입으로 울컥 피를 토해 내며 나를 바라보는 그의 얼굴은 어느 때보다 행복해 보였습니다. 불현듯 평화와 다빈의 말이 떠올랐습니다. 진짜 이것은 신의 징벌이자 축복일지도 모른다고.

내 품에서 그는 나를 세게 껴안았습니다. 그의 무게에 다리에 힘이 풀려 우리는 함께 바닥으로 나동그라졌습니다. 나는 행복한 얼굴로 숨이 멎어 가는 그의 얼굴에서 눈을 뗄 수 없었습니다. 그리고 다시 한번 울컥, 피를 토하는 연우를 눈에 담았을 때, 본능과 같이 내 복부 앞으로 칼을 옮겨 와 내 배 속으로 찔러 넣었습니다. 주체되지 않던 손의 떨림은 힘을 다하고 칼을 놓아 버렸습니다. 눈에서 짠물이 쉴 틈 없이 흘러나왔습니다. 비극이라 부르기엔 과히 장엄하고, 결말이라 맺기엔 부당한 이 마무리가 내 생을 끝내기엔 어찌나 더할 나위 없이 완벽한지.

이것으로 비로소 우리는 불행에서 벗어나는 거야. 나는 살고 싶다고, 그게 무섭다고 칼을 덜 밀어 넣었으면 어쩌지.

그와 내 몸 위로 햇볕이 쏟아져 내려왔습니다. 그와 내 삶의 끝을 조명하기엔 완벽한 마지막 무대였습니다.

그런데 힘을 다한 손끝으로 그의 손이 얽혀 들었습니다. 번쩍 눈을 떠 바라본 앞에 피가 찬 그의 입이 무어라 우물거리고 있었습니다.

살고 싶어.

거짓말같이 머릿속이 맑아졌습니다. 뿌연 구름이 가득 낀 것만 같던 눈앞이 맑아지고 심장이 미친 듯이 피를 순환시키고 있었습니다. 배가 뚫려 피가 쏟아지고 있음에도 눈앞의 연우만 보였습니다. 나는 힘이 없는 연우의 손가락을 움켜쥐고 필사적으로 꿈틀거렸습니다.

빌어먹을 새끼. 미친 새끼.

핸드폰을 잡아 키패드를 눌렀습니다.

주마등처럼 다빈이가 생각났습니다. 그녀가 불량하고 해맑게 내게 당부했었는데. 연우를 힘들게 하면 날 죽일 거라고요.

13
서평화

선생님. 나, 서평화도 선생님이란 소리 듣고 지냅니다. 아, 하면 어. 척하면 척, 아닙니까? 감정이란 건 형용할 수 없는 무언가일 것 같지만 무엇보다 과학적인 겁니다. 내가 이래 봬도 의료계 종사자가 아니겠습니까? 정신과 전문이 아니라지만 사람을 대하는 것만큼은 누구보다 프로라 자부할 수 있습니다. 마음이란, 신체와 떨어뜨려 놓을 수 없는 것. 그거 하나만 알고 잘 관리하면 안 될 것이 없다는 게 내 첫 번째 신조입니다.

그런데 이런 내가 최근 제대로 잠을 잔 날이 손에 꼽았습니다. 고급 자재로 지어졌다는 이 아파트는 옆집 소음 하나도 제대로 못 잡아내더군요. 분명 부실 공사임이 틀림없습니다. 덕분에 난 떠지지도 않는 눈을 비비면서 출근 준비를 해야 했습니다.

몇 주간 옆집 아가씨가 보이질 않았습니다. 옆집에선 쾅쾅 소리가 며칠이고 나길래 인테리어 공사라도 하나 싶었는데 밤에 유독 심해지는 걸 보면 아닌 것도 같고. 뭐, 떠들썩한 시국에 무슨 일이 일어나도 이상할 건 없지요. 아. 옆집에 덩치 큰 검은 남자도 더 이상 나다니질 않던데, 소음 때문에라도 겸사겸사 수연 씨의 얼굴을 보긴 해야겠습니다.

두통약을 사 가는 사람이 부쩍 늘었습니다. 전에도 많았지만, 이제는 공급이 수요를 따라가지 못해 "다 나갔어요."라는 말만 하루에 몇 번이나 했는지 모릅니다. 뉴스에선 완치자 수가 사망자 수를 따라가지 못하고 있다던데 뭐 이리 두통을 호소하는 사람은 많은지.

선생님. 그래도 사람을 기피하는 이 시국에도 내게 상담하러 오는 이들이 많습니다. 난 시국에 발맞추기 위해 일대일 상담만을 추구하지요. 나를 필요로 한다는데 상담을 멈출 수는 없지 않겠습니까? 광인병도 전염병 중 하나일 뿐이니, 마스크만 제대로 쓴다면 감염은 걱정할 필요 없을 터이고요. 눈물과 콧물을 닦는다며 마스크를 벗는 손님들이 간혹 있지만, 잠깐은 괜찮을 겁니다, 암요.

난 언제나 굳은 신조를 품고 상담 일을 합니다. 사람은 각각의 역사가 기억되기 위해 살아간다는 게 내 두 번째 신조입니다. 난 다수의 상담을 받아 주고, 그들은 자신의 이야길 털어놓으면서 서로를 기억해 주는 거지요. 역사가 당신을 기억하지 못해도 나는 당신을 기억해 주겠다는 위로를, 우린 나누는 겁니다. 누구든 그 안엔 제각각의 여정과 사연이 있기 마련이니까요.

그런데 최근 상담하는 중에도 비난하고, 화내고, 폭력을 행사하고, 과히 절망하고, 억압하려는 상담자들이 많아졌습니다. 그 사람들을 상대하다 보면 진이 다 빠져요. 지치지 않을 수가 없지요. 좀 교양있게 상담할 수 없는지, 원.

겨우 퇴근하고 돌아온 아파트 앞에 사이렌을 울리지 않는 검은색 경찰차가 서 있고, 빨건 앰뷸런스가 소란스럽게 쌩하고 내 옆으로 지나갔습니다. 더 이상 사람들이 몰려들어 웅성대지도 않는, 대수롭지 않은 일이지요.

그리고 17층으로 올라갔을 때 옆집에서 방호복을 입은 경찰들이 나오고 있었습니다. 경찰들은 출입 금지 표식 테이프를 열린 옆집 문 앞에 덕지덕지 바르고 있었어요.

“수고들 하십니다.”

난 경찰들에게 예의 바르게 인사한 뒤 빠르게 도어 록 비밀번호를 눌렀습니다. 선생님, 말해 두지만 난 더 이상 옆집의 흥미로운 이야길 듣지 못하게 되어 버린 것에 안타깝고 가슴이 미어졌더랍니다. 그래도 내겐 멋지고 재밌는 이야기보따리들이 여기저기 가득하니 괜찮다고 마음을 다독일 수 있었지요. 넘치는 것이 사람이며, 공들인 두툼한 자서전 하나만 보기에도 벅찬 요즘이었습니다. 또한 옆집엔 또 다른 멋진 이야길 가진 사람이 들어올 터지요. 나는 한 가지에 얽매여 있기엔 너무 피곤했습니다. 그런 시국인걸요.

"이제야 조용히 자겠네."

14
아리아 재난 지원 센터

"다음, 들어오세요."

복슬복슬한 잔디 인형을 떠올리게 하는 짧은 머리의 여자가 쭈뼛대며 상담실에 들어왔다. 리넨 셔츠를 팔꿈치까지 구깃구깃하게 한껏 말아 올리고 헐렁한 면바지를 입은 그녀는 그야말로 깔끔한 일꾼의 모습을 하고 있었다. 그녀는 의자의 끼익— 소리도 조심하며 살포시 앉아 상담사를 바라봤다.

상담사 자리에 있는 푸짐하고 부드러운 인상의 여자는 정말이지 상담사라는 직업과 퍽 어울리는 인상이었다. 에어컨을 빵빵하게 틀고 있음에도 상담 차트로 팔랑팔랑 부채질을 하는 모습은 방정맞다고 할 수도 있겠으나 와중에 부드러운 행동거지는 꼭 서양 중세 시대의 사교계 마담을 떠올리게 했다.

마담은 여전히 상담 차트를 팔락이며 말했다.

"상담 코드 K 맞으시죠?"

"네, 김시현, 이라고 합니다."

"아니죠! 그러시면 안 돼요. 여기선 내담자 K이신 겁니다!"

"아…… 네에……."

"저는 상담사 S. 우리 재난 지원 센터에서 상담할 땐, 개인 대 개인으로 대하되 익명성을 보장하기 위함이니까 지켜 주세요."

"알겠습니다. 상담사 S 님."

"좋아요."

이곳은 광인병 수습 위원회에서 지원하는 재난 지원 센터. 그중에서도 상담 센터에 해당하는 곳이었다. 병으로 떠들썩해진 지도 벌써 5년이 지났다. 이 세월은 누군가에겐 까마득하게 느껴졌고, 누군가에겐 쏜살같이 느껴지기도 했다. 어린이집에 다니는 꼬마 친구들은 태어나서 당연하게 느끼고 생각해 온 '병이 만연한 세상'이 그야말로 '완전히 새로운 세상'으로 바뀌고 있었다. 먼저 세상을 살아가던 사람들로 인해 세상은 과거의 일상으로 회귀하고 있었다. 그 새로운 세상을 모두가 '회복'이라 말했다.

광인병은 2년 동안 두 번의 폭발적인 감염자 증가와 심화된 증상을 보이곤 거짓말처럼 사라지기 시작했다. 3, 4년간 잊을 만하면 같은 증상을 보이는 사람들이 불쑥불쑥 주변에서 나타났으나 5년이 지났을 때 드디어 곳곳에 있는 격리 치료 센터가 하나둘 문을 닫았다.

장장 5년간 이례적인 전염병이 세상을 쓸고 간 뒤, 그 세월 사이에 말하기 힘든 사연이 생긴 사람들이 많아졌다. 거대한 재난 상황이 만든 그림자 아래에서 개인은 한없이 작은 단위였다. 각자의 사정은 넘쳐나는 혼란과 공포에 매몰되고, 고통은 줄 세워져 무디고 뻔한 것으로 비쳤다. 결국, 개인은 온전히 혼자서 슬픔을 감내하고 깊은 자상에 몸부림쳐야만 했다. 그런데 그 '사연을 가진 개인'이 모이고 모이자 생각보다 너무 많은 수요가 발생했고 결국 정부는 문 닫은 격리 치료 센터에 재난 지원 센터를 운영하기로 한 것이었다. 그리고 이곳, 아리아 재난 지원 센터에선 새로운 세상을 받아들이지 못한다고 판단되는 사람들을 모아다가 상담을 지원했다. 상담사 S는 내담자들이 말하는 '이제 과거가 되어 버린 일들'이 앞으로 살아 나가는 데 있어 그리 중요한가에 대해선 공감할 수 없었으나, 어떤 식으로 살아가야 '정상적인 삶'을 살아갈 수 있는지를 조언해 줄 뿐이었다. 한마디로, 이성적인 지성인의 판단을 내려 주는 일이었다.

"그래서, K 님은 어떤 이야기로 오셨나요?"

상담사 S는 어느덧 부채질을 멈추고 책상 위에 팔꿈치를 올리며 내담자 K를 향해 몸을 기울였다. S는 재난 지원센터 상담부서에서 일한 지 얼마 되지 않았어도 베테랑으로 통했다. 처음엔 그녀도 이곳에 내담자로 방문했었다. 재난 상황에 발생한 그 어떤 사연도 익명으로 털어놓을 수 있다기에 입이 근질근질해서 참을 수가 없었다. S는 약국에서 약사로 일하며 숱하게 손님들을 대하고 별별 이야기들을 들을 수 있었다. 하지만 귀에 들어온 이야길 정작 입으로 내뱉을 수 있는 곳은 어디에도 없다는 게 어찌나 답답하고 갑갑하던지. '이야기를 듣는다'라는 행위는 기본적으로 보안에 대한 신뢰를 기반으로 가능하다고 생각하는 그녀는 재난 지원 센터가 얼마나 반갑게 느껴졌는지 모른다. 그리고 상담사 B에게 약국에서 행하던 상담 일과 옆집에 대한 일들을 모두 털어놓았을 때 B가 제안했다.

상담사가 천직이신 듯한데, 이곳에서 일해 보시는 건 어떠세요? 안 그래도 일손이 달려서.

S는 천국 같은 이곳에서 일할 수만 있다면 당장 본업을 때려치울 수도 있다고 가슴을 팡팡 두들기며 말했다. 이곳에선 맘껏 말할 수도, 들을 수도 있다. 그야말로 제게 맞춤인 이상적인 곳이라 생각했다.

오늘의 내담자는 어떤 사연을 가지고 왔는지 한참을 입만 오물거리며 머뭇거렸다. 뭐, 베테랑에겐 없었던 일도 아니고 흔하게 발생하는 일일 뿐이었다.

"K 님도 아시다시피, 저희 상담은 광인병의 폭력성에 밀접 접촉한 사람들에게 지원되는 프로그램이에요. 갑작스러운 재난이 찾아와 그간 힘드셨지요? 무슨 이야길 털어놓기 위해 찾아오셨는지는 몰라도, 많이 고생하셨겠죠. 다들 살아 내고 있다는 심정으로 지냈잖아요. 그래도 평화로움을 허락하지 않는다는 듯 끝이 보이지 않던 힘든 나날들이 거짓말같이 끝났어요. 이제 앞으로 나아가야 하죠. 저는 이곳에서 K 님이 이제 모든 짐을 내려놓고 앞으로 나아갈 수 있도록 짐이 되는 사연을 듣고자 있는 사람입니다. 익명성은 철저히 보장되니 걱정하지 마세요."

"……어떻게 아무 일도 없었던 것처럼 살아가겠어요."

"그죠. 하지만 조금이라도 가벼워질 수는 있지 않겠어

요?”

이번 손님은 꽤나 입이 무거웠다. 하지만 그럴수록 더 듣기 힘든 재미난 이야길 가지고 있는 법. 인내심을 갖고 기다려야 한다.

K는 깊게 심호흡을 하듯 한숨을 푹— 내쉬곤 다시 입을 열었다.

“여기까지 와 놓고 뭐 하고 있는 건지. 죄송해요. 제가 보안을 철저히 해야 하는 일을 한지라 이야길 입에서 꺼내는 게 좀 힘드네요.”

“괜찮아요, 괜찮아. 기다릴게요.”

S는 K에게 따끈한 녹차 한 잔을 권하며 책상 위에 놓인 손을 살짝 토닥였다. S는 자신의 주름지고 푸짐한 손이 상대로 하여금 경계심을 풀게 한다는 것을 잘 알고 있었다.

“나는 바로 이 자리에 있었던 아리아 격리 치료 센터의 실장이었어요.”

“어머나.”

S는 지금껏 들어 왔던 사연 중 가장 희귀한 사례에 자신도 모르게 큰 리액션을 해 버렸다.

“그래요. 그 끝이 보이지 않던 힘든 나날 속에서 난 감염자들을 돌보면서 재난 속에 잊힌 제각각의 여정과 사연들을 들었어요. 제가 S 님의 역할을 했는지도 모르겠네요. 다른 센터 실장들도 일을 그런 식으로 했는지는 몰라요. 하지만…… 다른 센터 실장들도 미쳐서들 그만뒀단 얘기가 심심치 않게 들렸던 걸 보면 비슷하지 않았을까 짐작하긴 했어요. 그래 봤자 정부에서 주관하는 한 센터의 실장이란 이름을 달고 싶어 하는 사람은 차고 넘치니까, 금방 자리가 채워지곤 했지만요. 힘든 일이라고는 보안을 지키는 일뿐이라고 생각하니까 그렇겠죠. 그 보안 때문에 무엇이 힘든지 안 알려지는 건데 말이에요."

"힘들다고 주변에 말하지도 못하셨겠어요. 보안 때문에 터놓을 수 있는 곳도 없으셨을 텐데."

"뭐……. 대부분 힘들다고 말하면 무슨 일이든 힘든 건 매한가지라고들 하더군요. 자세히 말하지 못한 탓도 있겠지만. 어떻게 힘든 걸 다 얘기하고 지내겠어요. 솔직히 보안이 아니더라도 이렇게 만들어진 자리가 아니었으면 평생 말하진 못했을 거예요."

"음 음. 그렇군요. 잘 왔어요. 그래도 그 일을 꽤 좋아하셨나 봐요. 남들 다 그만둘 때도 K 님은 오래 일하신 것 같아서요."

"내가 좋아서 했던 일은…… 맞아요. 하지만 힘든 건 힘든 거죠. 살해당하는 공포에 시달리며 일하니까."

K는 손으로 얼굴을 거듭 쓸어내리며 말을 이어나갔다.

"병동 사람들은……. 그니까 센터 직원들은 항상 감염자들을 대면해야 했어요. 그게 일이니까요. 근데 인간적으로 대하면 안 됐어요. 그게 얼마나 모순적인 일인지 아시나요? 인간적으로 업무 대상을 바라보면 일이 진행되질 않아요. 근데 그곳엔 감염자도, 의료진도, 일개 말단 직원들도 모두 인간이었어요. 감염자는 직원들을 살욕과 성욕으로 번들거리는 눈으로 바라보는 동시에 그런 자신에게 수치심을 갖고 있었고, 직원들은 그런 그들이 안타까웠지만 혐오스럽고, 무서웠죠. 감염 여부와 상관없이 모두 본능에 따랐을 뿐이에요. 정상적으로 일하면서 살기 위해서 말이에요. 직원들이랑 항상 하던 말이 있었어요. 방호복과 마스크를 쓰고 감염자들을 만날 수 있어서 그나마 다행이라고. 억지로 웃는 낯으로 일하진 않아도 되니까요. 그런데…… 어느 날 우리 센터에 유일한 십 대 친구가 들어왔어요. 감염자로요."

계속 참담한 표정이었던 K는 무얼 떠올렸는지 희미한 미소를 띠며 말했다.

"분명 이곳은 각자의 자리에서 최선을 다할 뿐, 우리가 서로를 사랑할 순 없는 곳이었어요. 그런데 그 친구는 항상 억지로라도 웃으면서 감염자인 자기 자신을 도와주는 직원들에게 고맙고 미안하다고 했어요. 난 그 작은 친구를 보곤 생각했죠. 잔인한 짓을 본의 아니게 저지른 이 아이의 업보야말로 평생 작은 어깨를 짓누르며 따라다니겠구나. 센터의 직원으로서 해야 할 일은 인형을 보급하고, 식사와 건강 상태를 체크하는 게 다가 아니라…… 유일하게 괜찮다고, 네 잘못이 아니라고 말해 주어야 하는 건 아닐까. 그 아이를 시작으로 환자들을 사랑하기로 마음먹었어요. 가족처럼요. 아니, 그들의 가족조차 해 주지 못할 수 있는 괜찮다는 말을 해 주자 결심했어요."

"정말 좋은 일 하셨네요."

"하하……. 네."

"감히 제가 상상하기도 힘든 극악의 틈바구니에서, 서로 맞닿은 손 사이에 작게나마 애정이 움트고, 그 사랑이 점차 퍼져 나간다! 너무 아름다운 이야기예요. 선행이란 건, 서로의 상처를 치료해 주죠. 도움을 받는 사람도, 도움을 주는 사람도 말이에요."

멋쩍은 얼굴로 상담사의 말을 듣던 K는 서로의 상처를 치료해 준다는 말에 푸핫— 하고 크게 웃었다.

"하하, 서로의 상처를 치료한다? 아뇨. 함께 가라앉았다,

라고 표현하는 게 맞지 않을까요. 재난이 지나갈 때까지."

"예?"

"서로를 끌어안은 채로 아래로, 더 아래로 떨어지고 있었다고 생각해요. 적어도 내가 감염자들을 돕는 일은 갑작스레 물에 빠져 허우적대는 사람에게 본능적으로 손을 뻗는 것과 비슷했어요. 난 마구잡이로 손을 뻗었죠. 그리고 숨이 잘 쉬어지지 않아 주변을 돌아보니 나 또한 함께 수면 아래에 있더군요. 그래도 난 그들과 함께하려 했어요. 어느 순간부터 바깥의 평화로움이 역겹게 느껴지기 시작했거든요."

"그건 왜죠?"

순한 인상을 가진 K의 미간에 깊게 주름이 잡혔다.

"이 낡고 초라한 센터는 하루도 조용할 날이 없었어요. 모두 감염자들의 고통과 직원들의 노고가 담긴 소음이었죠. 그런데 밖은 소름이 돋을 정도로 무지하고 불감했어요. 당시 저는 그게 다 망할 '보안' 때문이라 생각했죠. 그 사실을 인지한 순간 나는 사실 살인에 가담하고 있었던 건 아닐까라는 생각이 떠나질 않았어요. 우리 모두 평화를 위해 일하고 있다고 생각했는데……."

"……그게 왜 살인의 영역으로 가나요?"

"선생님. 사람을 죽이는 방법엔 칼을 쑤시거나 목을 조르는 것만 있는 게 아니랍니다. 격리 치료 센터의 밥은 웬만한 식당 밥보다 맛있다든지, 스트레칭 시간에 꼬마가 방귀를 뀌었다거나, 늦은 새벽에 10대 여자애가 혼자 자기 무서워서 엉엉 울었다든지 이런 사소한 일조차 직원들은 밖에 나가는 순간 함구해야 하죠. 이런 소소한 일상이면 다행이지만 센터에선 서글픈 일이 많이 일어났어요. 난 그게 평생 제 일이 되지 않을 거라 장담할 수 없었어요. 그래서 난 감염자 한 사람, 한 사람을 내버려 둘 수가 없었어요. 가장 깊이 관여하며 모든 이의 사정을 들었고 위로했어요. 살인도, 강간도, 방화도 괜찮다 말해 왔어요. 그리고 많은 이들이 저를 의지했고 성공리에 완치되어 사회로 나갔어요. 그땐 그 힘으로 가장 오래 버텼지만……. 이상하게 일을 그만둔 지금은 그게 후회될 지경이에요. 내가 너무 힘들어. 내 머릿속이 너무 무거워졌어요. 그들에게 사랑을 주는 그 일이, 사실은 너무 힘들었어요. 사명감 따위 처음부터 가져선 안 되는 거였는데. 선생님. 이런 제가 다시 사회의 일원이 될 수 있을까요?"

재미없어. 비슷비슷해. 질려. 그만 듣고 싶어.

상담사는 오늘따라 머리가 지끈거렸다. 그 이유가 분명 눈앞에 있는 묘한 곳에서 예민하고 집요한 이 내담자 때문이라 생각했다. 하지만 그걸 내색할 순 없었다. S는 이번 상담은 이만 마치기로 했다.

"그러니까 우리 인간이 참 나약하고 찬란한 존재지요. 아름다운 사연을 가진 K 님. 우리 함께 힘내서 앞으로 나아가 봅시다."

오전 상담을 마친 상담사 S는 직원 휴게실에서 먼저 점심을 먹고 있던 상담사 B와 마주쳤다.

"늦게 끝났네요?"

"아아…… 오늘 내담자가 유난히 까다로워서."

S는 싸 온 도시락을 테이블에 펼쳤다. 햄부침과 김치 그리고 고사리나물. 국 통에 싸 온 뜨끈뜨끈한 된장찌개까지. 밖에서 적당히 사 온 샌드위치를 먹고 있던 B는 그녀의 햄부침 하나를 뺏어 먹으며 말했다.

"난 슬슬 이 일 때려치울까 생각 중이에요."

"아니 왜? B 씨라도 없으면 나는 무슨 재미로 출근하라고."

"그게……. 요즘 내 담당 내담자는 까다롭지는 않은데 이런 얘기까지 내가 들어야 하나? 싶더라고요. 차라리 인형을 앉혀 놓고 대신 들어 주게 하지. 치료 센터 인형 때처럼 말이야.”

“무슨 얘길 하는데?”

B는 보안을 지키면서 털어놓을 만한 선을 생각하는 듯 잠시 말을 멈추고 턱을 매만졌다.

“으음……. 뭐랄까. 야한 것까지 세세하게 진술해서 흥미롭긴 하던데. 그걸 재밌게 듣고 있는 나한테 회의감이 든달까요?”

“……B 씨, 아주 호색가가 따로 없어.”

S가 눈을 가늘게 뜨고 B를 바라보며 말했다. B는 자판기에서 믹스 커피를 뽑아 S에게 건네며 연신 낄낄 웃어 댔다.

“나도 요즘 이 일이 지겹네. 천직일 줄 알았는데 이렇게 질리고 지루한 일일 줄이야. 나도 B 씨 그만둘 때 그만둘까.”

“에헤이. 그냥 해 본 소리예요. 돈은 벌어야지. 이 시국에 시원한 데서 앉아서 일할 수 있는 직업이 몇이나 있다구.”

“하…… 그건 그래. 퇴근하는 길에 두통약이나 좀 사 가야지. 집에 있던 게 똑 떨어져서 원.”

“너무 먹는 거 아닙니까? 그러지 말고 나랑 한잔 어때요?”

“그럴까?”

언제 머리가 아팠냐는 듯 S는 눈을 빛내며 응했다.

"맛있는 거 먹으러 갑시다. 그럼 다 괜찮아질 거예요."

S는 상담사 B 덕분에 오후 상담에 영 집중할 수 없을 것 같았다.

무얼 먹을까. 밖에 비가 추적추적 오니까, 모듬전이랑 막걸리? 아니면 삼겹살에 쏘주도 괜찮겠고. 도시락을 까먹고 믹스 커피까지 후식으로 먹은 뒤건만 퇴근 후에 한잔할 생각만 하면 벌써부터 침이 흐르고 설렌다. 나이를 먹어도 이건 똑같다니까.

상담사 S의 머릿속엔 이미 내담자 K의 사연은 잊힌 채 맛난 안주와 주종으로 가득했다.

"시간 됐네요."

상담사 B와 상담사 S는 금세 무표정이 되어 각자의 상담실로 향했다.

이 책을 후원해 주신 분들

강성빈
강수영
강진원
강채윤
강혜경
권희선
김가은
김다나
김다엘
김보경
김보경
김보라
김부희
김솔
김솔민
김승희
김앤디
김영랑
김예진
김은설
김인화
김재인
김태경
김현진
나소현
남겸주
남보미
노영준
느린_김병준
다은
달토끼
닻별
도다윤
마나파이
멸망
밈따리
박단비
박소은
박소현
박소희
박숍
박예림
박용균
박유빈

박은진
박주리
박현서
백소연
복실이
성빈
수둥수둥수둥이
時雨
신지민
심동은
아현
안수빈
양지우
에레트리아(김연실)
오다영
원익♥주미
유라
윤도라희
윤재민(구마)
이내효

이성미
이송희
이수지
이윤재
이은서
이지
이지후
이하운
이하진
정민지
정소현
정아름
정유정
조성환
조예인
준
지은
차 필
초코여우
최진실

최희주
편백나무숲
하서영
해현
현진이
홍민정
황가연
후니네혜린이
balgalaglad
byeolha
February_renii
Kaito
Sea_farm
Shanblue
sweetholic
그리고
익명의 후원자분들

모두 감사합니다.

평화로운 살인 방법

2021년 12월 20일 **초판 1쇄 발행**
2023년 12월 1일 **초판 2쇄 발행**

지은이 이부
편집·디자인 이부
표지 그림 샐녘
교정·교열 이새별

발행처 선홍빛
출판등록 2021년 8월 12일 제 2021-000105호
이메일 thinking_hibou@kakao.com

ISBN 979-11-976754-0-9 03810

책값은 뒤표지에 있습니다.

이 책의 본문은 '을유1945' 서체를 사용했습니다.